Windows 7

POUR LES NULS

Windows 7

POUR LES NULS

Nancy Muir

Windows 7 Pas à Pas Pour les Nuls
Titre de l'édition originale : Windows Vista Just The Steps For Dummies
Publié par
Wiley Publishing, Inc.
909 Third Avenue
New york, NY 10022

Collection dirigée par Jean-Pierre Cano
Traduction : Véronique Congourdeau
Édition : Pierre Chauvot
Maquette : Marie Housseau

Edition française publiée en accord avec Wiley Publishing, Inc.
©2009 par Éditions First
Éditions First
60 rue Mazarine
75006 Paris
Tél. : 01 45 49 60 00
Fax : 01 45 49 60 01
e-mail : firstinfo@efirst.com
ISBN : 978-2-7540-1549-3
Dépôt légal : 4e trimestre 2009
Imprimé en France

Sommaire

Introduction 1

A propos de ce livre 1
Pourquoi vous avez besoin de ce livre 1
Comment ce livre est organisé 2
Première partie : Travailler avec Windows 7 2
Deuxième partie : Se connecter à l'Internet 2
Troisième partie : Configurer le matériel et les réseaux.... 2
Quatrième partie : Personnaliser le Bureau de Windows 3
Cinquième partie : Sécurité et maintenance 3
Les conventions utilisées dans ce livre 3
On y va ! 4

Première partie
Travailler avec Windows 7

Chapitre 1 : Le Bureau de Windows 7 7

Ouvrir et fermer une session avec Windows 7 8
Le menu Démarrer 10
Accéder aux programmes fréquemment utilisés 12
Régler la date et l'heure 14
Disposer les icônes sur le Bureau 16
Créer un raccourci sur le Bureau 18
Vider la Corbeille 20
Eteindre l'ordinateur 22

Chapitre 2 : Contrôler les applications et gérer la mémoire.............25

Démarrer une application.....26
Redimensionner les fenêtres.....28
Basculer d'une application ouverte à une autre.....28
Déplacer des données entre des fenêtres.....30
Démarrer automatiquement une application.....32
Fermer une application.....34
Définir les programmes par défaut.....36
Désinstaller une application.....38

Chapitre 3 : Fichiers et dossiers.....41

Accéder aux documents récemment utilisés depuis le menu Démarrer.....42
Localiser des fichiers et des dossiers.....44
Localiser des fichiers et des dossiers avec l'Explorateur Windows.....46
Rechercher un fichier.....48
Déplacer un fichier ou un dossier.....50
Renommer un fichier ou un dossier.....52
Créer un raccourci vers un fichier ou un dossier.....54
Imprimer un fichier.....56
Supprimer un fichier ou un dossier.....58
Compresser des fichiers ou des dossiers.....60
Ajouter un fichier aux Favoris.....62

Chapitre 4 : Utiliser les applications intégrées à Windows 7.....65

Créer un document dans WordPad et le mettre en forme.....66
Modifier une photo avec Paint.....68
Afficher une photo dans la Galerie de photos Windows Live.....70

Prélever des graphismes avec l'outil Capture 74
Notez sur des Pense-bête 76
Jonglez avec les chiffres grâce à la Calculatrice 78

Chapitre 5 : Les gadgets de Windows 7 81

Ajouter des gadgets sur le Bureau 82
Connaître l'heure 84
Afficher un diaporama 86
Utiliser le Calendrier 88
Reconstituer un puzzle 90
Convertir des devises 92
Ajouter un flux RSS au volet Windows 94
Obtenir les cours de la Bourse 96
Surveiller l'ordinateur 98

Deuxième partie

SE CONNECTER À L'INTERNET

Chapitre 6 : Accéder à l'Internet 103

Configurer une nouvelle connexion Internet 104
Partager une connexion Internet sur un réseau 106
Configurer une connexion TCP/IP 108
Réparer une connexion 110
Réseau domestique, de bureau et public 112
Supprimer une connexion Internet 114

Chapitre 7 : Surfer sur le Web avec Internet Explorer 117

Naviguer sur le Web 118
Rechercher sur le Web 120

Trouver des termes dans une page Web........................122
Définir la page de démarrage........................124
Mettre un site Web parmi les favoris........................126
Organiser les favoris........................128
Activer la suggestion de sites........................130
Utiliser les onglets........................132
Afficher l'historique de navigation........................134
Personnaliser la barre d'outils d'Internet Explorer........................136
Télécharger des fichiers........................138
Activer le filtrage InPrivate........................140
Utiliser le filtre SmartScreen........................142
Modifier les paramètres de confidentialité........................144
Activer le Gestionnaire d'accès........................146
Voir les flux RSS........................148
Imprimer une page Web........................150

Chapitre 8 : Échanger du courrier avec Windows Live Mail............153

Ouvrir Windows Live Mail et recevoir du courrier........................154
Écrire et envoyer un message........................156
Envoyer une pièce jointe........................160
Lire un message........................162
Répondre à un message........................164
Transférer un message........................166
Créer et ajouter une signature........................168
Mettre un message en forme........................170
Utiliser un thème........................172
Ajouter des contacts........................174
Personnaliser le Volet de lecture........................176
Créer des dossiers de messages........................176
Classer les messages dans les dossiers........................178

Chapitre 9 : Travailler à distance 181

Créer un plan d'alimentation pour un portable 182
Personnaliser le plan d'alimentation 184
Se connecter à un réseau sans fil 186
Vérifier l'état des batteries 188
Connecter un vidéoprojecteur 190
Activer les paramètres de présentation 192

TROISIÈME PARTIE

CONFIGURER LE MATÉRIEL ET LES RÉSEAUX

Chapitre 10 : Configurer un nouveau matériel 197

Installer une imprimante 198
Définir une imprimante par défaut 202
Configurer un périphérique USB 204
Configurer un nouveau moniteur 206
Mettre la carte graphique à jour 208
Configurer une carte son 210
Étendre une partition avec le gestionnaire de disque ... 212

Chapitre 11 : Configurer et utiliser un réseau 215

Installer une carte réseau PCI 216
Créer un réseau filaire Ethernet 218
Configurer un réseau sans fil 220
Modifier le nom d'un ordinateur 222
Intégrer un groupe de travail 224
Définir les options de partage 226

Quatrième partie
Personnaliser le Bureau de Windows

Chapitre 12 : Régler l'affichage 231

Définir la résolution de l'écran 232
Modifier l'arrière-plan du Bureau 234
Choisir un thème pour le Bureau 236
Configurer un écran de veille 238
Modifier le jeu de couleurs de Windows 7 240
Augmenter ou réduire la taille du texte 242

Chapitre 13 : Faciliter l'utilisation de Windows 245

Optimiser l'affichage 246
Remplacer les sons par des signaux visuels 248
Configurer la reconnaissance vocale 250
Modifier le fonctionnement du clavier..............................254
Le clavier visuel 256
Modifier le fonctionnement de la souris............................258
Modifier le curseur..260

Cinquième partie
Sécurité et maintenance

Chapitre 14 : Définir les mots de passe et l'accès aux fichiers 265

Modifier le mot de passe de Windows 266
Autoriser l'accès au dossier Public 268

Configurer les dossiers partagés 270
Définir les attributs de fichier 272
Créer un nouveau compte d'utilisateur 274
Changer d'utilisateur 276
Configurer le contrôle parental 278

Chapitre 15 : Protéger Windows 281

Définir les sites Web de confiance et sensibles 282
Activer le pare-feu de Windows 284
Permettre à des programmes de communiquer
via le pare-feu 286
Vérifier l'état de la sécurité de votre ordinateur 288
Démarrer une analyse avec Windows Defender 290
Démarrer Windows Update 292

Chapitre 16 : La maintenance de Windows 295

Sauvegarder ses fichiers sur des CD
ou DVD réinscriptibles 296
Défragmenter un disque dur 298
Libérer de l'espace sur le disque dur 300
Supprimer les fichiers Internet temporaires
avec Internet Explorer 302
Planifier des tâches de maintenance 304

Sixième partie
La résolution des problèmes courants

Chapitre 17 : Dépanner le matériel....309

Vérifier l'état du disque dur....310
Le dépanneur de matériel....312
Mettre un pilote à jour....314
Rétablir l'ancienne version d'un pilote....316

Chapitre 18 : Résoudre les problèmes logiciels....319

Fermer une application qui ne répond plus....320
Démarrer Windows en mode Sans échec....322
Créer un point de restauration....324
Restaurer le système....326
Dépannage d'un programme....328

Index....331

Introduction

Je présume que vous n'êtes pas particulièrement friand d'ouvrages informatiques. Vous n'avez pas envie de vous coltiner un interminable volume consacré à Windows 7. En fait, vous voulez seulement savoir comment faire et aller directement à cette information. Vous n'êtes pas le seul dans ce cas. J'étais vraiment très motivée pour écrire un livre qui vous mène directement à l'essentiel. Voilà pourquoi j'ai vraiment pris du plaisir à rédiger ce *Pas à pas* consacré à Windows 7.

A propos de ce livre

Windows 7 est un logiciel fiable, truffé de fonctionnalités fort utiles. Si vous possédez un ordinateur capable de le faire tourner – et je pense que c'est le cas, sinon vous auriez intérêt à vous faire rembourser ce livre –, vous passez sans doute beaucoup de temps dans l'environnement de Windows 7. Le but de ce livre est de tirer le meilleur parti de ce système d'exploitation. Comme le suggère son titre, il contient les étapes à suivre pour exécuter bon nombre des tâches les plus communes. C'est un livre qui vous rend productif.

Pourquoi vous avez besoin de ce livre

Vous ne pouvez pas attendre des semaines pour maîtriser Windows 7. C'est lui en effet qui régit tous vos logiciels, et c'est grâce à lui que vous échangez du courrier électronique et produisez des documents. Vous devez assimiler rapidement ses fonctionnalités. Il est certes possible de découvrir les fonctionnalités de Windows 7 tout en travaillant avec, mais si vous tombez sur un os, il vous faudra une réponse rapide. Ce livre est truffé d'étapes claires et concises qui faciliteront votre apprentissage.

Comment ce livre est organisé

Ce livre est fort commodément divisé en plusieurs parties :

Première partie : Travailler avec Windows 7

Vous y apprenez les bases de l'ouverture et de la fermeture des applications logicielles, de la gestion des fichiers et des dossiers qui reçoivent les documents que vous créez, et l'utilisation des applications intégrées à Windows comme la Calculatrice et WordPad. Vous découvrirez aussi comment utiliser les outils sympas présents dans la Galerie de gadgets du Bureau.

Deuxième partie : Se connecter à l'Internet

Le monde entier est connecté; vous ne pouvez rester à la traîne. Vous découvrirez ici comment vous connecter au Web, comment le parcourir avec la nouvelle version d'Internet Explorer, différentes manières d'utiliser Internet pour rester en contact lors de vos déplacements, et comment échanger du courrier électronique avec Windows Live Mail.

Troisième partie : Configurer le matériel et les réseaux

Windows vous aide à installer le matériel et à relier les ordinateurs entre eux, mais le plus gros de la tâche vous incombe. Cette partie explique ce que vous avez à faire et comment le faire. Vous apprendrez aussi à configurer l'ordinateur si vous éprouvez des difficultés à cause de votre vision, de votre ouïe ou d'autres handicaps physiques.

Quatrième partie : Personnaliser le Bureau de Windows

Vous voudriez bien que Windows 7 fonctionne à votre manière, n'est-ce pas ? C'est ici que vous apprendrez à personnaliser l'apparence et le comportement de Windows 7, et à le rendre plus convivial.

Cinquième partie : Sécurité et maintenance

Windows 7 assure la sécurité de vos informations de différentes manières, des mots de passe qui protègent les fichiers jusqu'aux outils qui empêchent les virus et les espiogiciels de s'attaquer à votre ordinateur. De plus, diverses fonctionnalités contribuent à maintenir le système à jour et opérationnel.

Les conventions utilisées dans ce livre

Ce que vous devez taper dans un champ de saisie est en **gras.**

Les menus et sous-menus sont séparés par une barre (/). Exemple : choisissez Outils/Options Internet. C'est une façon de dire « choisissez Outils, puis Options Internet ».

Dans certaines figures, des éléments sont entourés de rouge. La légende dit ce qu'il y a à voir, et le cercle vous montre où.

Cette icône met en évidence des détails ou des suggestions utiles dont il est question dans l'étape.

On y va !

Qu'il s'agisse de démarrer un logiciel pour travailler, de relever le courrier électronique ou d'aller sur le Web, il vous suffit de parcourir ce livre, de choisir une tâche et de passer à l'acte. Windows 7 peut devenir votre meilleur ami si vous savez vous y prendre. Ce livre vous apprendra comment en un rien de temps.

Première partie

Travailler avec Windows 7

"Visiblement l'aide de Windows 7
n'a pas été assez rapide !"

Chapitre 1

Le Bureau de Windows 7

A l'instar du bureau sur lequel vous travaillez, le Bureau de Windows 7 est au centre de tout ce que vous faites. C'est là que se trouve le menu Démarrer qui vous permet d'accéder aux données concernant votre ordinateur, les fichiers, les dossiers et les applications. Vous y trouvez aussi une Barre des tâches contenant des informations, comme la date et l'heure, ainsi que des raccourcis vers les programmes et fichiers que vous utilisez le plus souvent.

Dans ce chapitre, vous découvrirez le Bureau qui apparaît lorsque vous ouvrez une session dans Windows 7. Dans la foulée, vous découvrirez aussi la Corbeille, la Barre des tâches qui vous permet d'accéder rapidement aux programmes et fichiers que vous utilisez le plus fréquemment, ainsi que la zone de notification. Vous verrez aussi comment éteindre l'ordinateur une fois que votre travail est terminé.

C'est dans ce chapitre aussi que se trouvent les procédures permettant d'exploiter les fonctionnalités du Bureau de Windows 7.

Ouvrir et fermer une session avec Windows 7

1. Allumez l'ordinateur et laissez Windows 7 effectuer la séquence de démarrage.
2. Dans la page de bienvenue de Windows 7, entrez votre mot de passe puis cliquez sur le bouton fléché (ou cliquez sur Changer d'utilisateur et choisissez d'ouvrir une session sous un autre nom). Windows 7 vérifie le mot de passe et affiche le Bureau que montre la Figure 1.1. Remarque : si vous n'avez pas configuré la protection par mot de passe ou défini plusieurs utilisateurs, vous accédez directement au Bureau. Reportez-vous au Chapitre 14 pour savoir comment créer ou modifier un mot de passe.
3. Pour fermer la session d'utilisateur courante, enregistrez d'abord tous les documents ouverts, fermez toutes les applications ouvertes, puis choisissez Démarrer. Cliquez ensuite sur la flèche à droite du bouton à cadenas et choisissez Fermer la session. Windows 7 vous déconnecte et affiche une liste d'utilisateurs. Pour rouvrir une session, cliquez sur l'une des icônes d'utilisateurs.

Pour créer un autre utilisateur, choisissez Démarrer/Panneau de configuration/Comptes d'utilisateurs et protection des utilisateurs/Ajouter ou supprimer des comptes d'utilisateurs. Cliquez ensuite sur Créer un nouveau compte. Suivez les instructions pour attribuer un nom à ce compte et définir un mot de passe, si vous le désirez.

Reportez-vous au Chapitre 14 pour obtenir des informations plus détaillées sur la création et la gestion des comptes d'utilisateurs.

Après avoir défini plus d'un utilisateur, vous devrez cliquer sur l'icône de l'utilisateur sous lequel vous désirez ouvrir une session, avant que le mot de passe soit demandé.

Figure 1.1 : Le Bureau de Windows 7 (avec quelques gadgets et quelques dossiers).

Le menu Démarrer

1. Appuyez sur la touche Windows du clavier ou cliquez sur le bouton Démarrer, sur le Bureau, pour afficher le menu Démarrer que montre la Figure 1.2.
2. Dans le menu Démarrer, vous pouvez :
   - Cliquer sur Tous les programmes pour accéder à la liste des logiciels installés dans l'ordinateur. Cliquez sur l'un d'eux pour l'ouvrir.
   - Cliquer sur n'importe quel élément, dans le volet droit, pour afficher une fenêtre de l'Explorateur Windows contenant des dossiers et des fichiers (Figure 1.3).
   - Cliquer soit sur un programme fréquemment utilisé, en haut à gauche, soit sur un programme récemment utilisé, juste en dessous.
   - Cliquer sur le bouton Arrêter pour fermer tous les programmes et éteindre l'ordinateur.
   - Cliquer sur la flèche à droite du bouton Arrêter pour afficher un choix d'options de mise en veille ou de redémarrage de l'ordinateur, de fermeture de session ou d'ouverture d'une session d'un autre utilisateur.
3. Quand le pointeur quitte le menu Démarrer, ce dernier disparaît.

Mettre l'ordinateur en veille équivaut à le mettre en pause mais sans fermer les documents ni quitter les programmes. La veille consomme certes un peu d'énergie, mais elle vous permet de retrouver votre travail en cours en seulement quelques secondes. En Veille prolongée, les fenêtres de documents et de programmes sont enregistrées sur le disque dur puis l'ordinateur s'arrête. L'ordinateur est plus long à redémarrer et repositionner les fenêtres qu'en veille, mais l'économie d'énergie est plus importante.

Figure 1.2 : Le menu Démarrer.

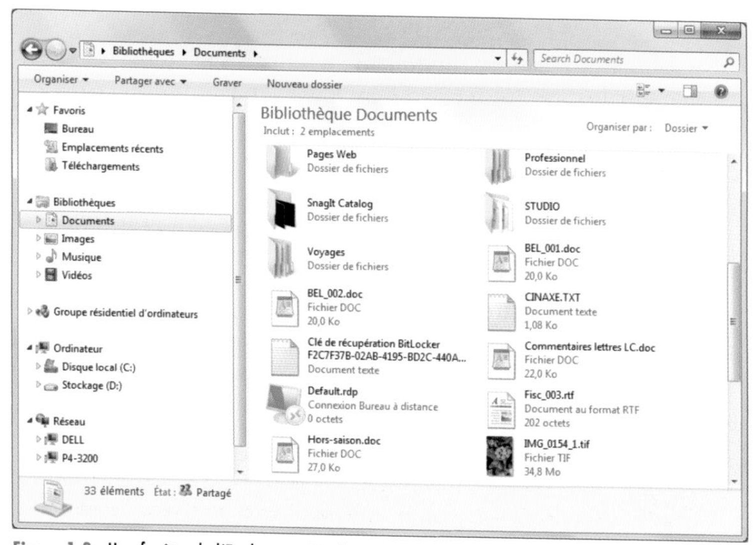

Figure 1.3 : Une fenêtre de l'Explorateur Windows.

Accéder aux programmes fréquemment utilisés

1. Si vous utilisez fréquemment certains programmes, vous pouvez les épingler dans la Barre des tâches, juste à droite du bouton Démarrer (Figure 1.4). Quand vous utilisez Windows pour la première fois, cette zone peut contenir des icônes de programmes comme Internet Explorer ou le Lecteur Windows Média, ou encore un raccourci pour Windows Explorer.
2. Pour ouvrir l'un des éléments présents dans la Barre des tâches, cliquez dessus (Figure 1.5).
3. Pour fermer un élément que vous avez ouvert, cliquez sur le bouton rouge Fermer (marqué d'un « X »), en haut à droite dans la barre de titre.

Pour qu'un élément reste en permanence dans la Barre des tâches, cliquez dessus du bouton droit et choisissez l'option Épingler ce programme à la barre des tâches. Vous pouvez aussi faire glisser une icône du Bureau jusque sur la Barre des tâches (la tâche « Créer un raccourci sur le Bureau », un peu plus loin dans ce chapitre, peut vous être utile).

D'autres fonctions peuvent être placées dans la Barre des tâches. Cliquez dessus du bouton droit et choisissez Propriétés. Cliquez sur l'onglet Barres d'outils puis, dans le panneau, cochez la case de chacun des éléments à faire apparaître dans la Barre des tâches : Adresse, Liens, Panneau de saisie Tablet PC et/ou Bureau.

Figure 1.4 : La Barre des tâches.

Figure 1.5 : Ouverture d'un programme à partir de la Barre des tâches.

Régler la date et l'heure

1. Appuyez sur la touche Windows pour afficher la Barre des tâches, si elle n'est pas visible.
2. Cliquez sur l'horloge, à l'extrême droite de la Barre des tâches, et, en bas du petit panneau, choisissez Modifier les paramètres de la date et de l'heure.
3. Cliquez sur le bouton Changer la date et l'heure puis, dans la boîte de dialogue Réglage de la date et de l'heure (Figure 1.6), cliquez sur un autre jour du calendrier, et entrez une nouvelle heure dans le champ de saisie sous l'horloge. Cliquez sur OK.
4. Pour définir un autre fuseau horaire, allez dans la boîte de dialogue Date et heure, puis cliquez sur le bouton Changer de fuseau horaire. Choisissez-en un autre dans la liste, puis cliquez sur OK.
5. Cliquez sur OK pour appliquer les modifications et fermer la boîte de dialogue.

Si vous ne voulez pas que votre ordinateur tienne compte de l'heure d'été et d'hiver, cliquez sur Changer de fuseau horaire, puis décochez la case Ajuster l'horloge pour l'observation automatique de l'heure d'été.

Une autre manière de voir la date et l'heure consiste à ajouter les gadgets Horloge et Calendrier sur le Bureau. Reportez-vous au Chapitre 5 pour en savoir plus sur les gadgets.

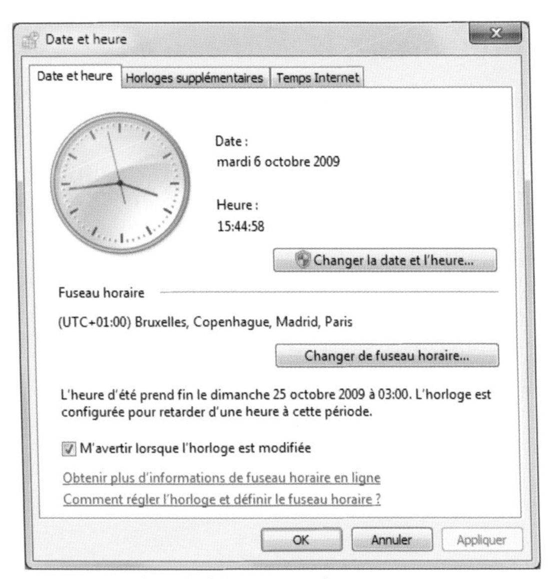

Figure 1.6 : La boîte de dialogue Date et heure.

Disposer les icônes sur le Bureau

1. Cliquez du bouton droit sur le Bureau et, dans le menu contextuel, choisissez Affichage, en veillant que l'option Réorganiser automatiquement les icônes ne soit pas sélectionnée, comme à la Figure 1.7. Si elle l'est, désélectionnez-la avant de passer à l'étape suivante.
2. Cliquez sur le Bureau du bouton droit et, dans le menu contextuel, choisissez Trier par, puis sélectionnez un critère (voir Figure 1.8).
3. Vous pouvez aussi cliquer sur n'importe quelle icône et la déposer ailleurs sur le Bureau, en la mettant par exemple à part afin de la retrouver facilement.

Si vous avez déposé les icônes un peu n'importe où sur le Bureau et que vous désirez les aligner instantanément en colonnes à gauche de l'écran, cliquez sur le bouton droit et choisissez Affichage/Réorganiser automatiquement les icônes.

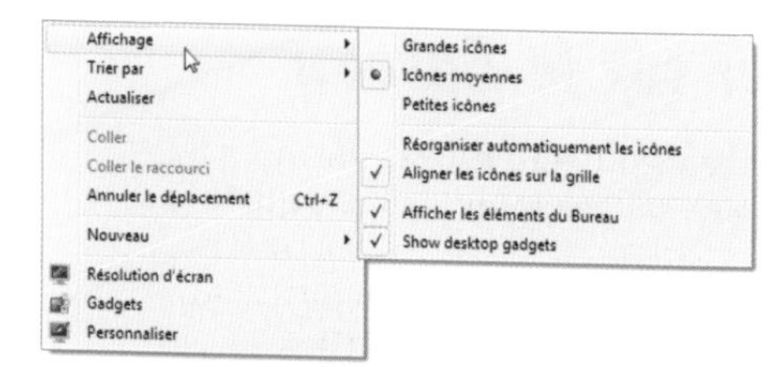

Figure 1.7 : Le sous-menu du menu contextuel Affichage.

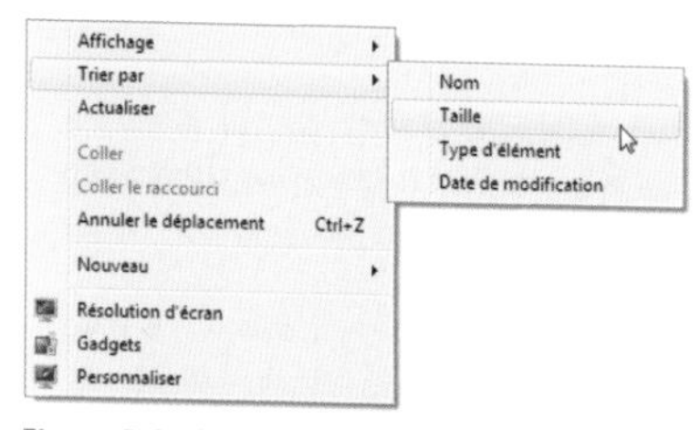

Figure 1.8 : Le sous-menu de tri des icônes.

Créer un raccourci sur le Bureau

1. Choisissez Démarrer/Tous les programmes et localisez le programme – le jeu Freecell par exemple – dans la liste qui apparaît.
2. Cliquez dessus du bouton droit et choisissez Envoyer vers/ Bureau (créer un raccourci), comme à la Figure 1.9.
3. Le raccourci apparaît sur le Bureau (Figure 1.10). Double-cliquez dessus pour ouvrir l'application.

De temps en temps, Windows propose de nettoyer les icônes que vous n'avez pas utilisées depuis un certain temps, car le Bureau doit être réservé aux programmes, fichiers et dossiers fréquemment utilisés. Au besoin, vous pourrez toujours recréer facilement les raccourcis.

Pour nettoyer manuellement le Bureau, cliquez dessus du bouton droit et choisissez Personnaliser. Dans le volet de gauche, cliquez sur Changer les icônes du bureau. Dans la boîte de dialogue qui apparaît, Paramètre de l'icône du bureau, cliquez sur le bouton Paramètres par défaut, ce qui rétablit la disposition d'origine des raccourcis.

Vous pouvez créer un raccourci pour un élément tout neuf en cliquant du bouton droit sur le Bureau et en choisissant Nouveau, puis l'élément à placer : un document, une image bitmap ou un contact. Double-cliquez ensuite sur le raccourci qui vient d'être créé pour travailler sur le fichier avec l'application à laquelle il est associé.

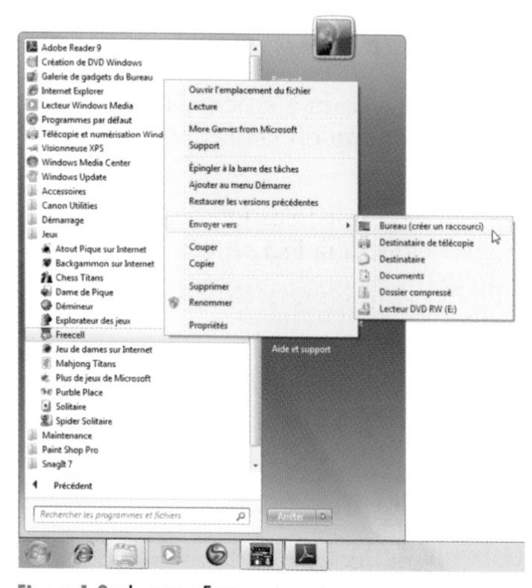

Figure 1.9 : Le menu Envoyer vers et son sous-menu.

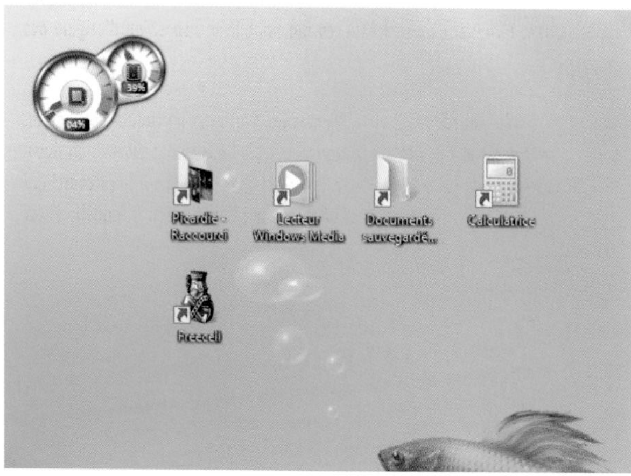

Figure 1.10 : Le raccourci de Freecell se trouve sur le Bureau.

Vider la Corbeille

1. Cliquez du bouton droit sur l'icône de la Corbeille, sur le Bureau de Windows 7 et, dans le menu, choisissez Vider la Corbeille (Figure 1.11).
2. En bas du message d'alerte qui apparaît (Figure 1.12), cliquez sur Oui. Une barre de progression montre l'avancement des suppressions. Sachez qu'après les avoir supprimés de la Corbeille, les fichiers sont définitivement perdus.

Tant qu'ils sont dans la Corbeille, des éléments peuvent être récupérés en double-cliquant sur la Corbeille. Sélectionnez ensuite les éléments à récupérer, puis cliquez sur le bouton Restaurer les éléments sélectionnés, au-dessus de la fenêtre.

Vous pouvez modifier les propriétés de la Corbeille en cliquant dessus du bouton droit et en choisissant Propriétés. La boîte de dialogue qui apparaît permet de modifier la taille de la Corbeille ainsi que son emplacement sur le disque dur. Vous pouvez aussi désactiver la demande de confirmation de suppression lorsque vous videz la Corbeille.

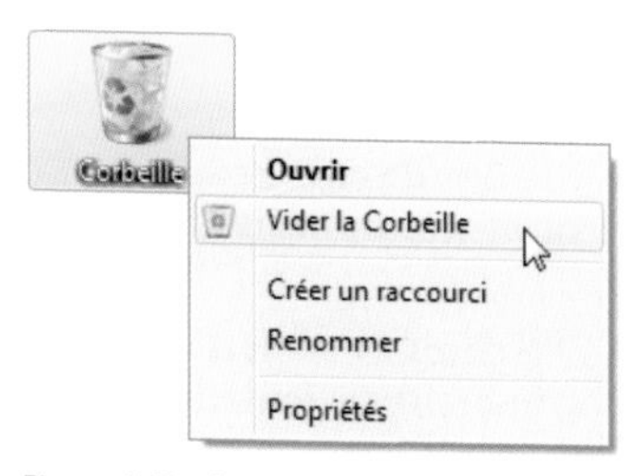

Figure 1.11 : Le menu contextuel de la Corbeille.

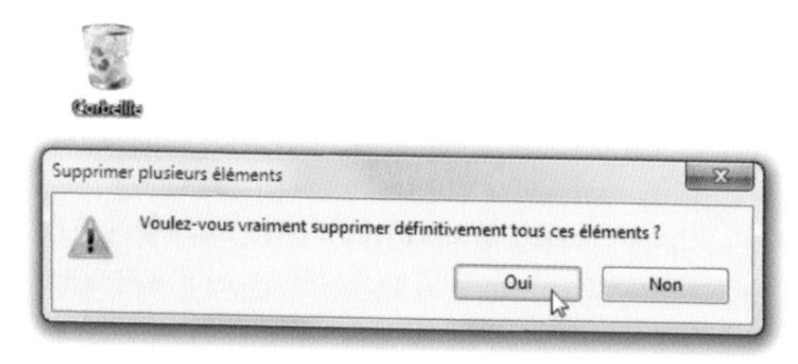

Figure 1.12 : Confirmez la vidange de la Corbeille.

Eteindre l'ordinateur

1. Choisissez Démarrer puis cliquez sur le bouton Arrêter. Ou alors, cliquez sur le bouton fléché à droite du bouton Arrêter afin de choisir une autre option.
2. Dans le menu contextuel (Figure 1.13), choisissez Mettre en veille pour suspendre l'activité de l'ordinateur ou Redémarrer si vous désirez qu'il s'éteigne et se rallume.

Vous n'êtes pas obligé d'éteindre l'ordinateur lorsque vous vous éloignez de lui, et devoir relancer toute la séquence d'allumage avec le jingle de Windows. A l'Etape 2, choisissez l'option Mettre en veille pour plonger l'ordinateur dans le sommeil, l'écran devenant tout noir tandis que les ventilateurs s'arrêtent. De retour, cliquez avec la souris ou appuyez sur la touche Echap ou, notamment avec les portables, appuyez sur le bouton de mise en marche. L'ordinateur s'ébroue et vous retrouvez tous vos programmes et documents tels qu'ils étaient auparavant.

Si pour quelque raison votre ordinateur se bloque, il existe deux moyens de l'éteindre : appuyez à deux reprises sur Ctrl+Alt+Suppr ou maintenez le bouton de mise en marche enfoncé jusqu'à ce que l'ordinateur s'arrête.

N'éteignez jamais l'ordinateur sauvagement, en le débranchant, sauf si vous ne pouvez pas faire autrement, car il risquerait de ne plus redémarrer correctement par la suite.

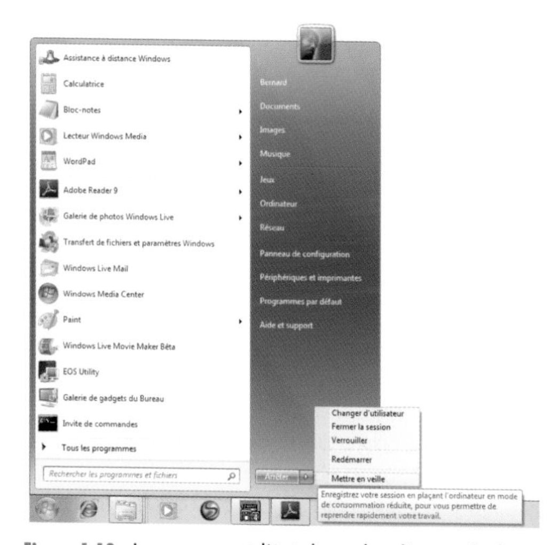

Figure 1.13 : Le menu permet d'éteindre ou de redémarrer l'ordinateur, ou de le mettre en veille.

Chapitre 2

Contrôler les applications et gérer la mémoire

Vous pourriez penser que Windows 7 est un ensemble d'accessoires utiles comme une calculatrice, un logiciel de dessin ou des jeux, mais c'est surtout et avant tout un système d'exploitation. Sa principale raison d'être est de vous permettre de gérer et exécuter d'autres logiciels, qu'il s'agisse d'un tableur ou d'un jeu vidéo en 3D. Connaître les meilleures techniques pour accéder à un logiciel et le démarrer fait gagner du temps ; configurer Windows 7 de la manière qui vous paraît la plus rationnelle facilitera votre vie.

Dans ce chapitre, nous étudierons plusieurs techniques de démarrage d'application et de transfert de données simples et commodes. Vous découvrirez pas à pas les procédures permettant d'ouvrir une application, de redimensionner sa fenêtre et de désinstaller les programmes que vous n'utilisez plus.

Vous apprendrez ici toutes les procédures servant à démarrer une application, l'utiliser et la fermer.

Démarrer une application

1. Démarrez une application à l'aide de l'une des quatre techniques suivantes :
   - Choisissez Démarrer/Tous les programmes. Localisez le nom du programme dans la liste qui apparaît, puis cliquez dessus. Cliquer sur un élément arborant une icône de dossier affiche la liste des programmes qu'il contient. Cliquez sur l'un des programmes de la sous-liste pour l'ouvrir, comme à la Figure 2.1.
   - Double-cliquez sur l'icône du raccourci d'un programme (Figure 2.2).
   - La Barre des tâches devrait être affichée par défaut ; si ce n'est pas le cas, appuyez sur la touche Windows pour la faire apparaître puis sur une icône de la Barre des tâches (Figure 2.2), à droite du bouton Démarrer. Cette barre n'est pas affichée par défaut ; reportez-vous au Chapitre 1 pour en savoir plus.
   - Si vous avez utilisé un programme récemment et enregistré un document, cliquez sur un élément de la liste des éléments récents, dans le menu Démarrer (reportez-vous au Chapitre 1 pour savoir comment afficher, dans le menu Démarrer, des fichiers récemment utilisés).
2. L'application s'ouvre. Si c'est un jeu, jouez. Si c'est un tableur, entrez des chiffres, si c'est la messagerie, supprimez les courriers indésirables, si c'est un hérisson, courrez-lui après…

Tous les programmes installés dans l'ordinateur n'apparaissent pas sous forme de raccourci ou dans la Barre des tâches. Reportez-vous au Chapitre 1 pour savoir comment créer des raccourcis et en ajouter à la barre.

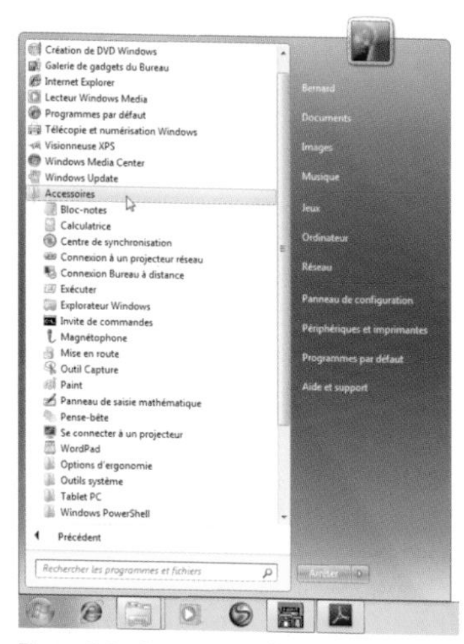

Figure 2.1 : Le menu Tous les programmes.

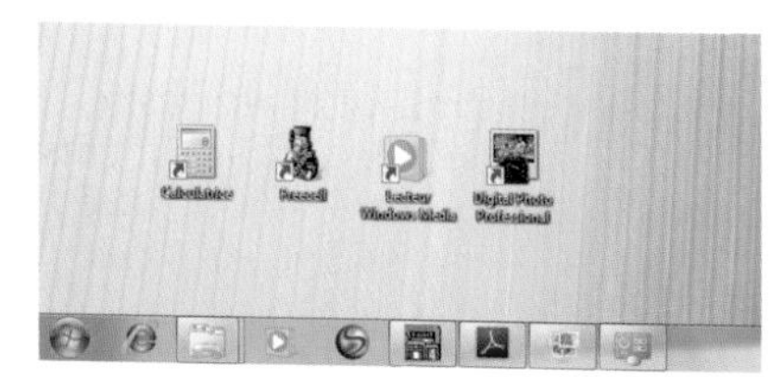

Figure 2.2 : Des icônes sur le Bureau et dans la Barre des tâches.

Redimensionner les fenêtres

1. Quand vous ouvrez une fenêtre d'une application, elle peut être agrandie en plein écran, réduite à une fenêtre plus petite, ou minimisée sous la forme d'une icône dans la Barre des tâches. Une application étant ouverte et en plein écran, cliquez sur le bouton Niveau inférieur – celui avec deux rectangles qui se chevauchent –, en haut à droite de la fenêtre du programme. La taille de la fenêtre diminue (Figure 2.3).
2. Pour qu'une fenêtre emplisse la totalité de l'écran, cliquez sur le bouton Agrandir. Ce bouton est une bascule : il se trouve au même endroit mais, selon que la fenêtre est en plein écran ou non, il est nommé Niveau inférieur ou Agrandir. Une infobulle avec l'un de ces noms apparaît lorsque vous immobilisez la souris dessus.
3. Cliquez sur le bouton Réduire – il est à gauche – pour placer la fenêtre dans la Barre des tâches, sous la forme d'une icône.

Basculer d'une application ouverte à une autre

1. Ouvrez plusieurs programmes. Le dernier ouvert est le programme actif.
2. Appuyez sur Alt+Tab pour passer d'une application à une autre.
3. Appuyez sur Alt+Tab et maintenez les touches enfoncées pour afficher le petit panneau de la Figure 2.4 révélant tous les programmes ouverts.
4. La touche Alt enfoncée en permanence, appuyez à plusieurs reprises sur Tab pour passer d'une icône à une autre.
5. Pour activer une fenêtre et la voir au premier plan, relâchez la touche au moment où cette fenêtre est sélectionnée. Pour revenir au dernier programme qui était actif, appuyez sur Alt+Tab pour le réactiver.

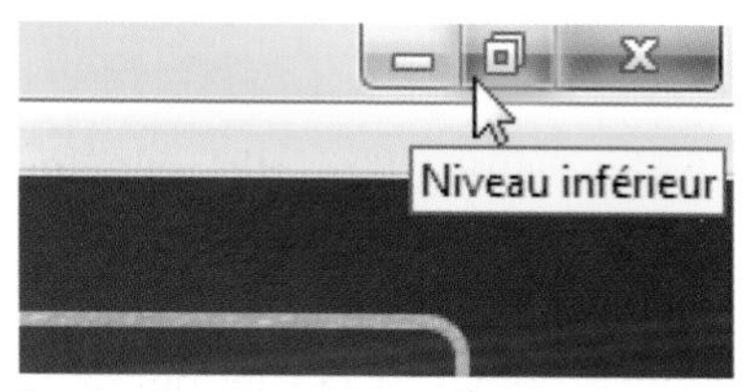

Figure 2.3 : Le bouton Niveau inférieur réduit une fenêtre actuellement agrandie.

Figure 2.4 : Cette barre affichée au milieu de l'écran montre les programmes ouverts.

Une fenêtre affichée en plein écran n'est pas déplaçable. Mais si vous réduisez en cliquant sur le bouton Niveau inférieur, vous pourrez la repositionner en cliquant dans la Barre de titre et, bouton de la souris enfoncé, en la tirant ailleurs. Ceci permet, au besoin, de libérer la vue sur les éléments situés à l'arrière-plan. Une fenêtre peut aussi être redimensionnée en cliquant sur un bord ou sur un coin, et en le tirant, bouton de la souris enfoncé.

Déplacer des données entre des fenêtres

1. Ouvrez deux fenêtres. Peu importe qu'elles soient en plein écran ou non.
2. Cliquez dans la barre de titre de l'une des fenêtres et tirez-la fermement contre un bord de l'écran, celui de gauche, par exemple. Le fenêtre se cale tout contre le bord et se redimensionne de manière à occuper la moitié gauche de l'écran (Figure 2.5).
3. Calez la seconde fenêtre contre l'autre bord, le côté droit en l'occurrence, en la tirant par sa barre de titre. Elle occupe à présent l'autre moitié de l'écran
4. Sélectionnez les données à déplacer : du texte, des chiffres ou des fichiers d'image. Pour sélectionner plusieurs éléments, cliquez dessus, touche Ctrl enfoncée.
5. Cliquez dans la sélection puis, touche de la souris enfoncée, tirez-la jusque dans l'autre fenêtre (Figure 2.6).
6. Relâchez le bouton de la souris. Les données sont à présent dans la fenêtre de destination.

Vous pouvez aussi déplacer les données par des couper-coller ou des copier-coller. La sélection faite, appuyez sur Ctrl+C pour copier, ou sur Ctrl+X pour couper. Cliquez ensuite dans le fenêtre de destination, appuyez sur Ctrl+V, et les fichiers sont placés dedans.

Le déplacement de fichiers ne fonctionne pas entre tous les types de fenêtre. Par exemple, vous ne pouvez pas déplacer une image de Paint vers le Calendrier Windows. C'est surtout avec du texte ou des objets déplacés entre des applications d'Office que cette manipulation fonctionne. Dans les autres cas, un couper-coller sera préférable.

Figure 2.5 : La fenêtre calée contre le bord gauche est automatiquement redimensionnée pour occuper la moitié de l'écran.

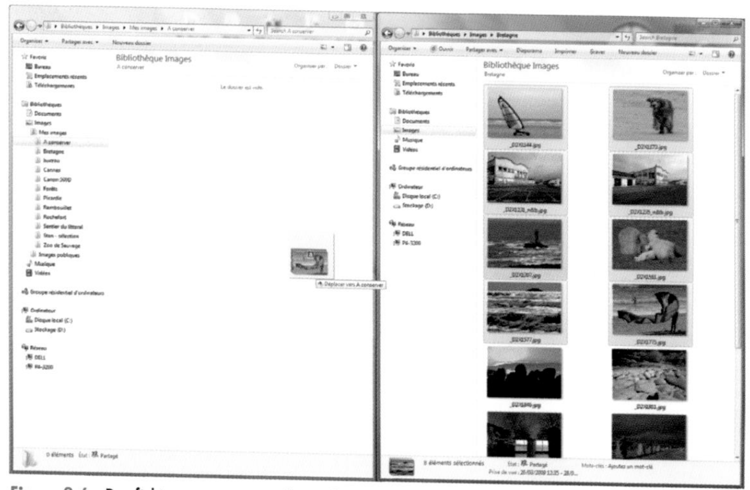

Figure 2.6 : Des fichiers sont en train d'être déplacés vers la fenêtre de gauche.

Démarrer automatiquement une application

1. Choisissez Démarrer/Tous les programmes.
2. Cliquez du bouton doit sur le dossier Démarrage et, dans le menu contextuel, choisissez Ouvrir (Figure 2.7).
3. Cliquez du bouton droit sur le bouton Démarrer et dans le menu, choisissez Ouvrir l'Explorateur Windows. Trouvez le dossier contenant le document en même temps que Windows démarre, puis cliquez dessus pour le sélectionner.
4. Touche Alt enfoncée – vous créez ainsi un raccourci –, faites glisser le document dans le dossier Démarrage (Figure 2.8).
5. Après avoir placé des documents dans le dossier Démarrage, cliquez sur le bouton Fermer, en haut à droite. Les fichiers en question seront exécutés à chaque démarrage de Windows 7. Ils peuvent bien sûr être supprimés de ce dossier en cliquant dessus du bouton droit et en choisissant Supprimer.

Si vous placez trop de programmes dans le dossier Démarrage, la durée de démarrage de Windows sera plus longue. Ne le bourrez pas. N'y placez que les documents dont vous avez le plus souvent besoin.

Placez dans le dossier Démarrage les raccourcis pointant vers les documents que vous utilisez le plus souvent - le budget familial, le planning d'un projet en cours... - afin d'y accéder rapidement.

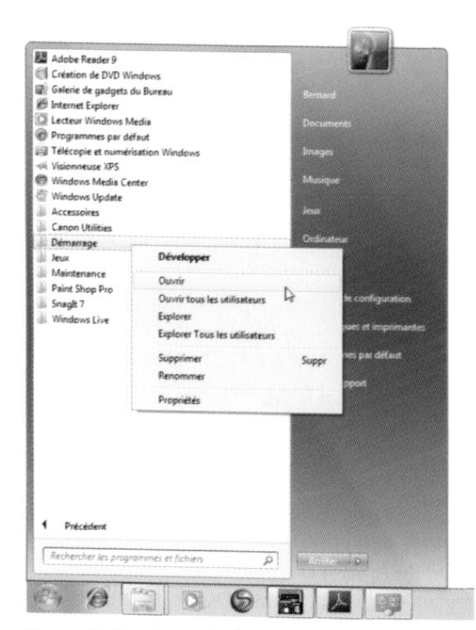

Figure 2.7 : Ouvrez le dossier Démarrage.

Figure 2.8 : Le raccourci d'un document textuel est placé dans le dossier Démarrage.

Fermer une application

1. Une application étant ouverte, enregistrez les documents ouverts puis fermez-les de l'une de ces manières :
   - Cliquer sur le bouton Fermer, en haut à droite de la fenêtre.
   - Appuyer sur Alt+F4 pour fermer la fenêtre active.
   - Choisir Fichier (ou le bouton d'application) puis Quitter, comme à la Figure 2.9.
2. L'application se ferme. Si un document n'a pas été enregistré, une boîte de dialogue demande s'il faut le faire (Figure 2.10). Cliquez sur Enregistrer ou sur Ne pas enregistrer, selon qu'il faut conserver ou non les changements.

Pour enregistrer un document avant de fermer une application, choisissez Fichier/Enregistrer puis, dans la boîte de dialogue qui apparaît, nommez le fichier et sélectionnez le dossier où il sera stocké.

Remarquez que Fichier/Quitter ferme tous les documents de l'application, tandis que Fichier/Fermer ne ferme que le document actuellement actif, et aucun autre.

Il n'est pas nécessaire de quitter une application pour en ouvrir une autre ou passer à une autre. Dans ce dernier cas, appuyez sur Maj+Tab, puis seulement sur Tab, pour passer d'une application ou d'un document à un autre.

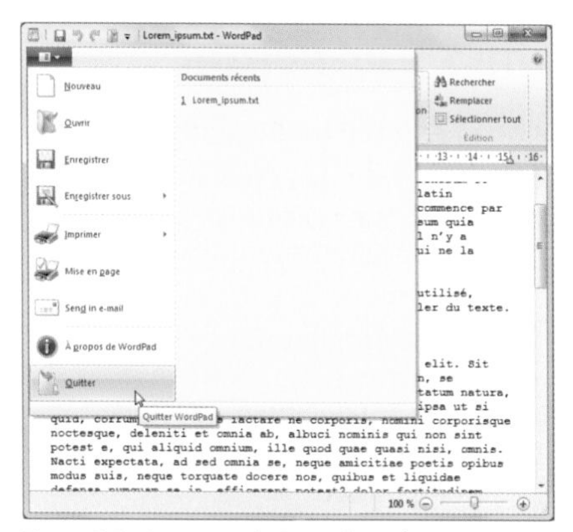

Figure 2.9 : La commande Quitter ferme le programme.

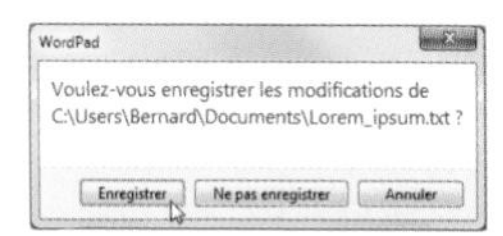

Figure 2.10 : N'oubliez pas d'enregistrer votre travail.

Définir les programmes par défaut

1. Choisissez Démarrage/Panneau de configuration/Programmes.
2. Dans la rubrique Programmes par défaut de la fenêtre qui apparaît, cliquez sur le lien Choisir les programmes par défaut (Figure 2.11). Vous découvrirez les programmes utilisés pour telle ou telle tâche.
3. Sélectionnez un élément dans la liste Programmes, à gauche (Figure 2.12), puis cliquez sur Définir ce programme comme programme par défaut. Vous pouvez aussi choisir l'option Choisir les paramètres par défaut de ce programme et indiquer ensuite les types de fichiers (comme .jpeg pour les images, ou .docx pour Word 2007) que ce programme doit pouvoir ouvrir. Cliquez ensuite sur Enregistrer.
4. Cliquez sur OK pour enregistrer vos paramètres.

Vous pouvez aussi choisir quel périphérique utiliser par défaut pour jouer un fichier audiovisuel en cliquant sur le lien Modifier les paramètres par défaut pour les médias ou les périphérique, dans la boîte de dialogue Programmes ouverte à l'Étape 1.

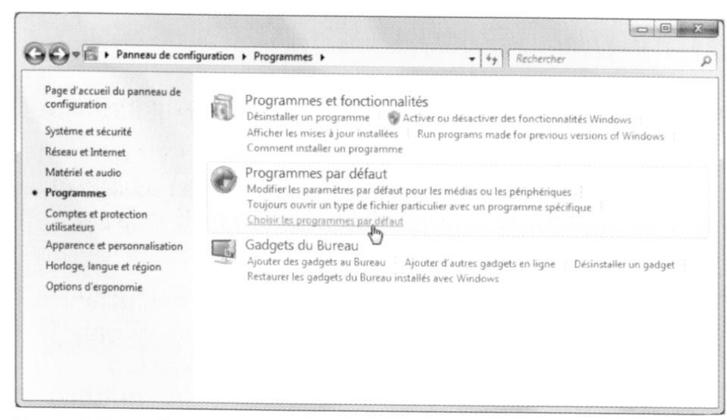

Figure 2.11 : La fenêtre Programmes.

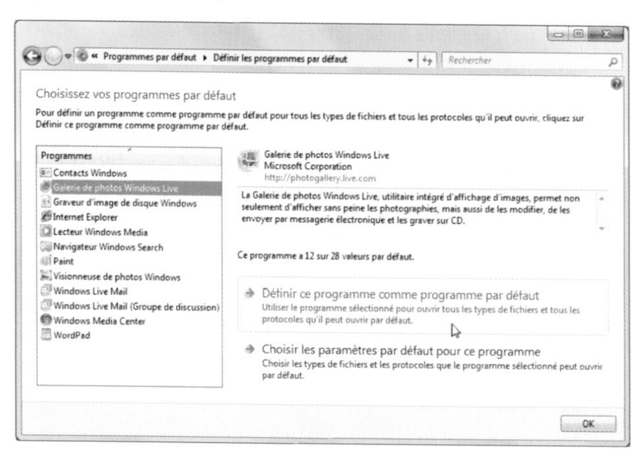

Figure 2.12 : Définissez ici vos programmes par défaut.

Désinstaller une application

1. Choisissez Démarrer/Panneau de configuration/Désinstaller un programme (à la rubrique Programmes).
2. Dans la boîte de dialogue qui apparaît (Figure 2.13), cliquez sur un programme puis sur le bouton Désinstaller. Bien que certains logiciels soient aussitôt désinstallés, la plupart demanderont de confirmer la suppression (Figure 2.14).

Pour des programmes comportant de multiples applications, comme Microsoft Office, il est préférable de supprimer une seule application à la fois. Vous pouvez par exemple décider de supprimer Access, mais vous ne pourriez vous passer de Word ou d'Excel. Pour procéder sélectivement, cliquez sur le bouton Modifier, à l'Etape 2, plutôt que sur le bouton Désinstaller. La boîte de dialoguer qui apparaîtra vous permettra de sélectionner les applications à supprimer, ou ouvrira la fenêtre d'installation/désinstallation d'origine du programme.

Attention ! Si vous cliquez sur le bouton Modifier ou Désinstaller, certains programmes seront supprimés sans vous demander confirmation. Ne désinstallez que si vous êtes certain de n'avoir plus besoin du programme, ou si vous possédez le fichier téléchargé ou le CD d'origine afin de le réinstaller, au besoin.

Remarquez que la commande Ajouter de nouveaux programmes, présente dans les versions antérieures de Windows, a disparu. Comme tous les logiciels sont aujourd'hui fournis avec un programme d'installation, Microsoft n'a pas cru bon de conserver cette commande désormais obsolète.

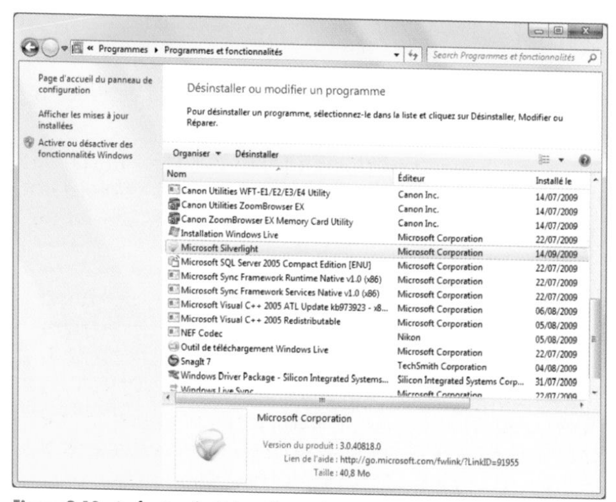

Figure 2.13 : La fenêtre de désinstallation des programmes.

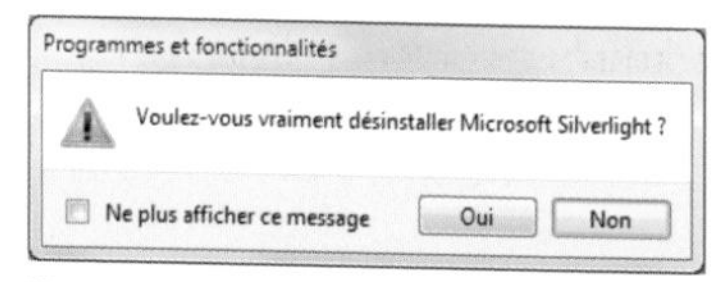

Figure 2.14 : Il est souvent nécessaire de confirmer la suppression.

Chapitre 3

Fichiers et dossiers

Remémorez-vous le bureau d'antan avec ses armoires à dossiers et les chemises bourrées de papiers, à la place d'un bel ordinateur et des connexions Internet sans fil que nous utilisons aujourd'hui.

Retour vers le présent : Vous rangez toujours votre travail dans des fichiers et dossiers, sauf qu'aujourd'hui les rangements en métal et en carton ont fait place à des données informatiques. Les *fichiers* sont chacun des documents que vous enregistrez à partir de vos applications comme Word ou Excel. Ils sont classés dans des dossiers et des sous-dossiers par groupes ou catégories (clients, projets, comptes…).

Dans ce chapitre, vous apprendrez à organiser votre travail dans des fichiers et des dossiers et aussi :

- Comment vous y retrouver parmi les fichiers et les dossiers, et notamment comment les localiser et les ouvrir.
- Manipuler les fichiers et les dossiers : Les déplacer, les renommer, les supprimer et comment imprimer les fichiers.
- Compresser un fichier : Un fichier moins volumineux est plus facile à gérer.

Accéder aux documents récemment utilisés depuis le menu Démarrer

1. Ouvrez le menu Démarrer et cliquez du bouton droit dans une partie vide du panneau. Dans le menu contextuel, choisissez Propriétés.
2. Dans la boîte de dialogue Propriétés de la Barre des tâches et du menu Démarrer, cliquez sur l'onglet Menu Démarrer, s'il n'est pas déjà affiché.
3. Assurez-vous que la case Stocker et afficher les fichiers récemment ouverts dans le menu Démarrer et la barre des tâches (Figure 3.1) est cochée, puis cliquez sur OK.
4. Choisissez Démarrer/Documents récents et choisissez un fichier dans le sous-menu afin de l'ouvrir, comme à la Figure 3.2.

Si un fichier du menu Documents récents peut être ouvert par plus d'une application – un fichier d'image susceptible d'être ouvert aussi bien par Paint que par la Galerie de photos Windows –, cliquez dessus et choisissez la commande Ouvrir avec pour sélectionner l'une des applications utilisables.

Il existe un autre moyen de trouver les documents que vous venez d'utiliser. Les programmes récemment utilisés se trouvent en bas à gauche du menu Démarrer, et sous leur menu Fichier se trouve généralement une liste des derniers fichiers ouverts.

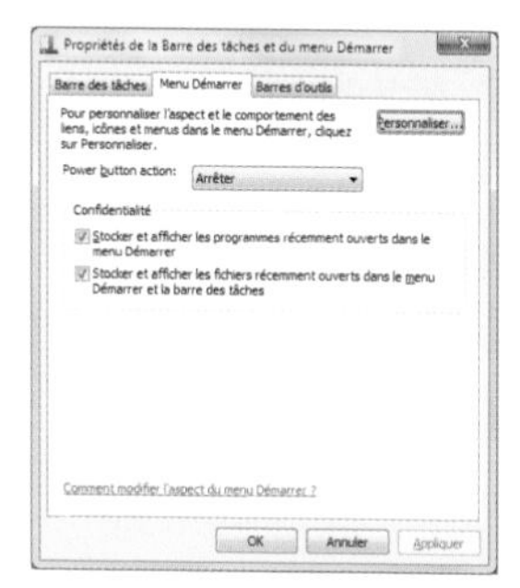

Figure 3.1 : Les propriétés du menu Démarrer.

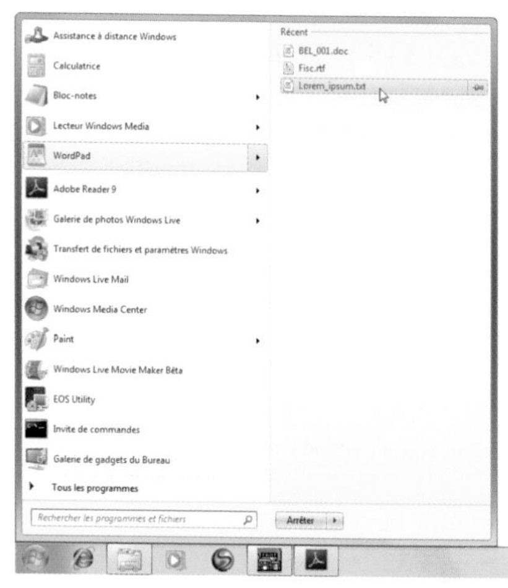

Figure 3.2 : Choisissez l'un des derniers documents utilisés.

Localiser des fichiers et des dossiers

1. Choisissez Démarrer/Ordinateur.
2. Dans la fenêtre Ordinateur que montre la Figure 3.3, double-cliquez sur un élément comme un disque dur, un lecteur de disquettes, une clé USB ou un lecteur de CD-ROM afin de l'ouvrir.
3. Si le fichier ou le dossier recherché est stocké dans un autre dossier (on en voit dans la Figure 3.4), double-cliquez sur un dossier ou sur plusieurs dossiers successifs jusqu'à ce que vous l'ayez trouvé.
4. Le fichier trouvé, double-cliquez dessus pour l'ouvrir.

Remarquez les boutons au-dessus de la fenêtre, dans la Figure 3.4. Ils servent à organiser, afficher ou ouvrir des fichiers, ou à graver des fichiers sur un CD ou un DVD.

Selon le mode d'affichage, les dossiers et fichiers de la Figure 3.4 peuvent apparaître sous forme de liste, ou même de vignette montrant leur contenu.

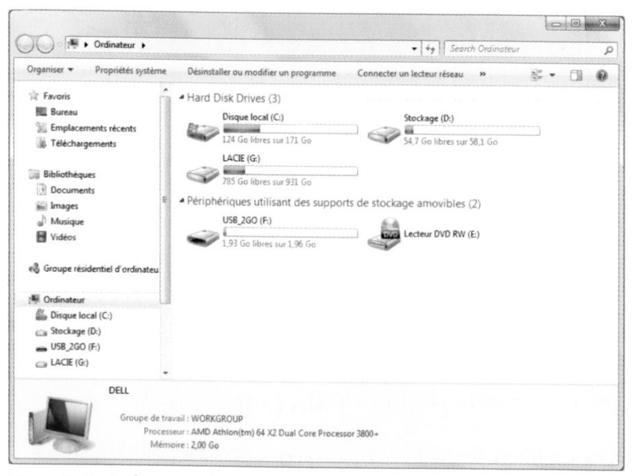

Figure 3.3 : La fenêtre Ordinateur.

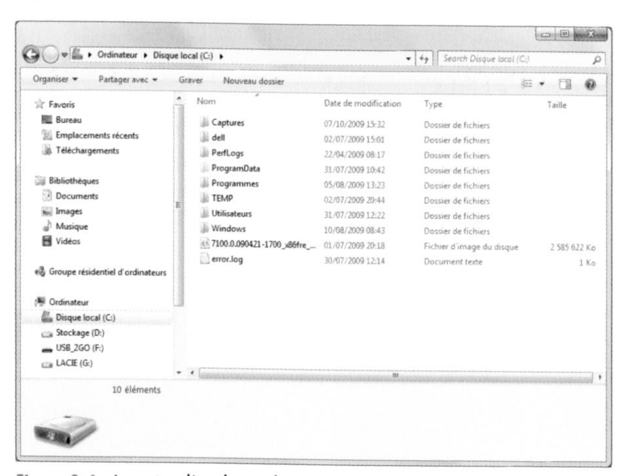

Figure 3.4 : La racine d'un disque dur.

Localiser des fichiers et des dossiers avec l'Explorateur Windows

1. Cliquez du bouton droit dans le menu Démarrer et choisissez Explorer.
2. Dans la fenêtre de l'Explorateur Windows (Figure 3.5), double-cliquez sur un dossier, dans la colonne Nom, afin de l'ouvrir.
3. Le contenu du dossier est affiché. Au besoin, ouvrez successivement plusieurs dossiers de cette manière jusqu'à ce que vous trouviez le fichier désiré.
4. Le fichier trouvé, double-cliquez dessus pour l'ouvrir.

Pour modifier la présentation des informations de fichier dans l'Explorateur Windows, cliquez sur la flèche du bouton Changer l'affichage – le premier des boutons à droite, dans la barre de commandes – et choisissez l'une des options suivantes : Très grande icône, Grandes icônes ou Icônes moyennes pour un affichage graphique, Liste pour afficher uniquement les noms des dossiers et des fichiers, Détails pour obtenir des précisions comme la taille des fichiers ou leur date de modification, Mosaïque pour afficher les noms, types et tailles des dossiers et des fichiers ou Contenu pour obtenir une liste fournissant des informations appropriée au type de fichier. Si un dossier contient des fichiers d'image, ces images sont affichées sous forme de miniatures, sauf si vous optez pour Détails.

Il existe des raccourcis vers les dossiers communément utilisés, comme Documents, Images et Musique. Cliquez sur l'un d'eux et l'Explorateur Windows ouvre le dossier correspondant.

Figure 3.5 : La fenêtre de l'Explorateur Windows.

Rechercher un fichier

1. Cliquez sur le bouton Démarrage.
2. Entrez un critère de recherche dans le champ tout en bas du panneau (Figure 3.6).

   Windows 7 affiche dans le panneau tous les dossiers et tous les fichiers qu'il trouve dont le nom commence par la ou les lettres saisies.

   Il affiche aussi tous les fichiers contenant, dans leur texte, le critère en cours de saisie. S'il s'agit d'une photo, Windows 7 recherche le critère parmi les mots clés que le fichier est susceptible de contenir. S'il s'agit d'un morceau de musique, Windows 7 examine ses informations (nom du morceau, album, artiste…). Les boîtes aux lettres du courrier électronique sont aussi examinées.
3. Pour mieux consulter les résultats de recherche, cliquez sur le lien Voir plus de détail. Windows 7 ouvre une fenêtre indépendante (Figure 3.7).
4. (Facultatif) Cliquez sur le bouton Changer l'affichage, à droite dans la barre de commandes, et choisissez l'option de présentation Détails.
5. Si vous avez effectué l'Étape 4, cliquez sur n'importe quel en-tête de colonne (Nom, Type, Taille, Date de modification…) pour trier les résultats selon ce critère. Recliquer sur un en-tête inverse l'ordre de tri.
6. Le fichier trouvé, double-cliquez dessus pour l'ouvrir.

Pour conserver les résultats, cliquez sur le bouton Enregistrer la recherche, dans la barre de commandes. Dans la boîte de dialogue qui apparaît, tapez un nom de fichier, choisissez l'emplacement où stocker les résultats, puis cliquez sur Enregistrer.

Dans le menu Organiser, cliquez sur la commande Options des dossiers et de recherche. Dans la boîte de dialogue qui apparaît, cliquez sur l'onglet Rechercher afin d'accéder à des options permettant de configurer la manière de rechercher.

Figure 3.6 : Le début de la saisie du critère Bretagne.

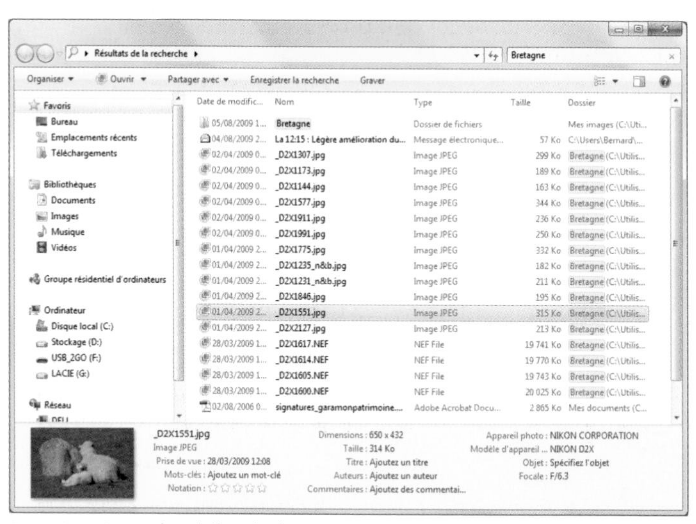

Figure 3.7 : Les résultats de la recherche.

Déplacer un fichier ou un dossier

1. Cliquez du bouton droit dans le menu Démarrer et choisissez Ouvrir l'Explorateur Windows.
2. Dans l'Explorateur Windows (Figure 3.8), double-cliquez sur un dossier ou successivement sur plusieurs, au besoin, pour localiser le fichier à déplacer.
3. Exécutez l'une de ces actions :
   - Cliquez et tirez le fichier jusque sur un dossier, dans le volet Dossiers à gauche de la fenêtre. Si vous cliquez du bouton droit et tirez, un menu contextuel propose de déplacer ou copier le fichier.
   - Cliquez sur le fichier du bouton droit et choisissez Envoyer vers. Choisissez ensuite une option dans le sous-menu, comme à la Figure 3.9 (notez que l'envoi à un destinataire ne fonctionne que si un logiciel de messagerie a été installé dans Windows 7).
4. Cliquez sur le bouton Fermer, en haut à droite de la fenêtre de l'Explorateur Windows.

Si vous changez d'avis et renoncez au déplacement, lors du clic du bouton droit, choisissez Annuler, dans le menu contextuel.

Pour créer une copie d'un fichier ou d'un dossier à un autre emplacement, cliquez dessus du bouton droit et choisissez Copier. Dans l'Explorateur Windows, naviguez jusqu'à l'emplacement désiré. Cliquez du bouton droit et choisissez Coller, ou appuyez sur Ctrl+V (NdT : Ou alors, bouton Ctrl enfoncé, tirez l'élément jusqu'à un autre emplacement. Une copie est ainsi automatiquement créée).

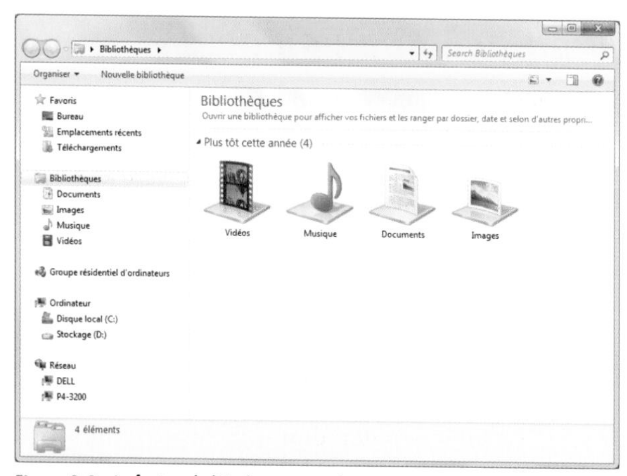

Figure 3.8 : La fenêtre de l'Explorateur Windows.

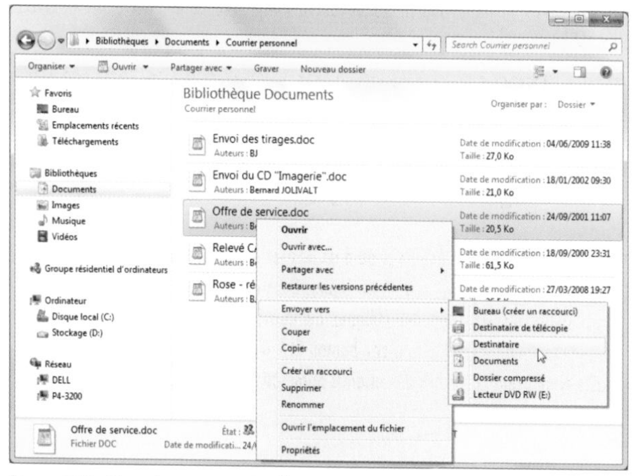

Figure 3.9 : L'envoi par un courrier électronique.

Renommer un fichier ou un dossier

1. Localisez le fichier à renommer en utilisant l'Explorateur Windows (clic droit sur le bouton Démarrer, puis Ouvrir l'Explorateur Windows).

2. Cliquez du bouton droit sur le fichier et choisissez Renommer (Figure 3.10).

   La partie du nom à gauche du point est sélectionnée (à droite du point se trouve l'extension de fichier).

3. Tapez un nouveau nom puis cliquez n'importe où hors du champ de saisie afin de valider le nouveau nom.

Vous ne pouvez pas attribuer à un fichier le même nom qu'à un autre fichier présent dans le même dossier. Si deux fichiers doivent avoir un même nom, placez-les dans des dossiers différents. Cette pratique n'est pas recommandée en raison du risque de confusion que cela peut entraîner.

NdT : Un moyen encore plus rapide consiste à cliquer sur le fichier et appuyer sur la touche F2. Tapez ensuite le nouveau nom.

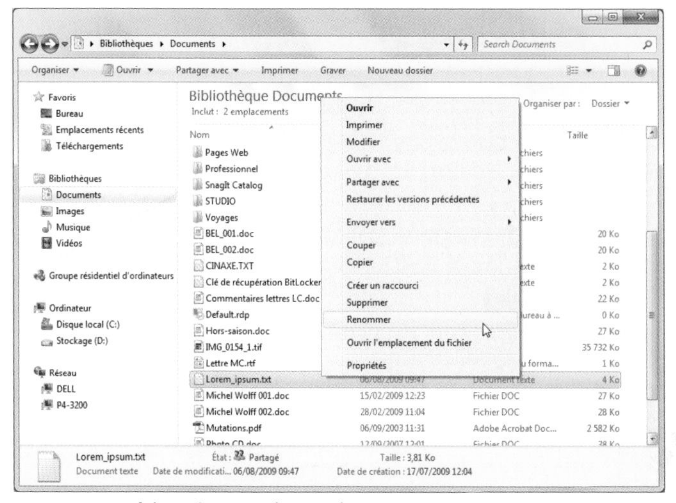

Figure 3.10 : Le fichier sélectionné, choisissez l'option Renommer.

Créer un raccourci vers un fichier ou un dossier

1. Localisez le fichier ou le dossier à l'aide de l'Explorateur Windows (clic du bouton droit dans le menu Démarrer puis Explorer).
2. Dans l'Explorateur Windows (Figure 3.11), cliquez du bouton droit sur le fichier ou le dossier en question, puis choisissez Créer un raccourci.
3. Un élément nommé nom du fichier ou du dossier - Raccourci apparaît dans le dossier. Cliquez dessus et tirez-le jusque sur le Bureau ou un dossier de votre choix.

Pour ouvrir le fichier dans l'application qui l'a créé ou le dossier dans l'Explorateur Windows, il suffit de double-cliquer sur le raccourci.

NdT : Un autre moyen consiste, touche Alt enfoncée, à déplacer légèrement le fichier ou le tirer jusque sur le Bureau ou dans un autre dossier. Le raccourci est aussitôt créé.

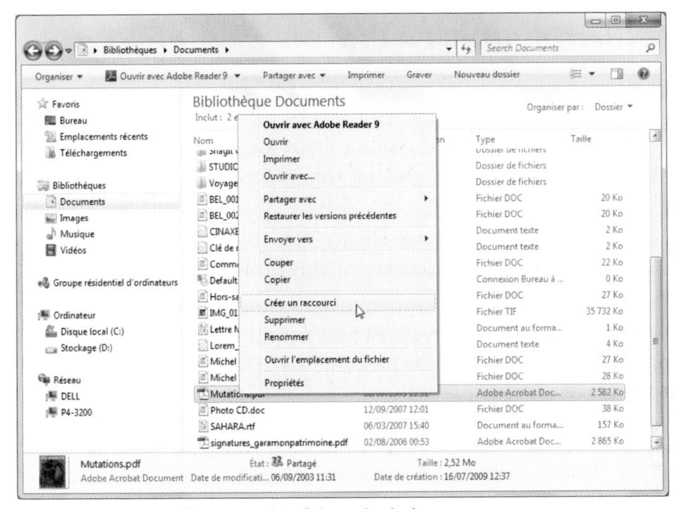

Figure 3.11 : Création du raccourci d'un fichier à l'aide d'un menu.

Imprimer un fichier

1. Ouvrez le fichier avec l'application qui l'a créé.
2. Choisissez Fichier/Imprimer.
3. Dans la boîte de dialogue Imprimer (Figure 3.12), spécifiez ce que vous désirez imprimer. Les options varient, mais en général il s'agit de :
   - **Tout** : Imprime la totalité des pages du document.
   - **Sélection** : N'imprime que le texte ou l'objet sélectionné dans le fichier.
   - **Pages** : N'imprime que les pages indiquées. Par exemple, 3-11 imprime de la page 3 à la page 11. Ou encore 7-9 ; 15 imprime les pages de 7 à 9 ainsi que la page 15.
4. Dans le champ Nombre de copies, cliquez sur les petites flèches pour définir le nombre d'exemplaires à imprimer. Si l'imprimante l'autorise, la case Copies assemblées (impression de l'ensemble de pages de chaque exemplaire, au lieu de toutes les pages 1, toutes les pages 2, etc.) est disponible.
5. Cliquez sur OK pour démarrer l'impression.

Voici une autre manière d'imprimer : localisez le fichier avec l'Explorateur Windows (clic droit dans le menu Démarrer puis Ouvrir l'Explorateur Windows). Cliquez du bouton droit sur le fichier et, dans le menu contextuel, choisissez Imprimer. Le fichier est imprimé avec les paramètres par défaut de l'imprimante.

Les options de la boîte de dialogue Imprimer peuvent changer d'un logiciel à un autre. Par exemple, celle de PowerPoint propose d'imprimer soit les diapositives, soit les documents, soit le plan de la présentation. Outlook permet d'imprimer un courrier en mode Tableau ou Mémo.

Figure 3.12 : La boîte de dialogue Imprimer de WordPad, commune à d'autres logiciels sous Windows 7.

Supprimer un fichier ou un dossier

1. Localisez le fichier ou le dossier avec l'Explorateur Windows (clic droit dans le menu Démarrer puis Explorer).
2. Cliquez du bouton droit sur le fichier ou le dossier dont vous voulez vous débarrasser (Figure 3.13) puis choisissez Supprimer.
3. Dans le message d'alerte, cliquez sur Oui (Figure 3.14) pour accepter la suppression du fichier.

Quand vous supprimez un fichier ou un dossier dans Windows 7, il n'est pas véritablement effacé mais placé dans la Corbeille. Il peut être récupéré en double-cliquant sur l'icône Corbeille. Cliquez ensuite du bouton droit sur le fichier ou sur le dossier à récupérer et choisissez Restaurer. L'élément se retrouve aussitôt là où il était auparavant.

A l'Etape 2, au lieu de cliquer du bouton droit et choisir Supprimer dans le menu contextuel, vous pouvez appuyer sur la touche Suppr, ce qui est plus rapide.

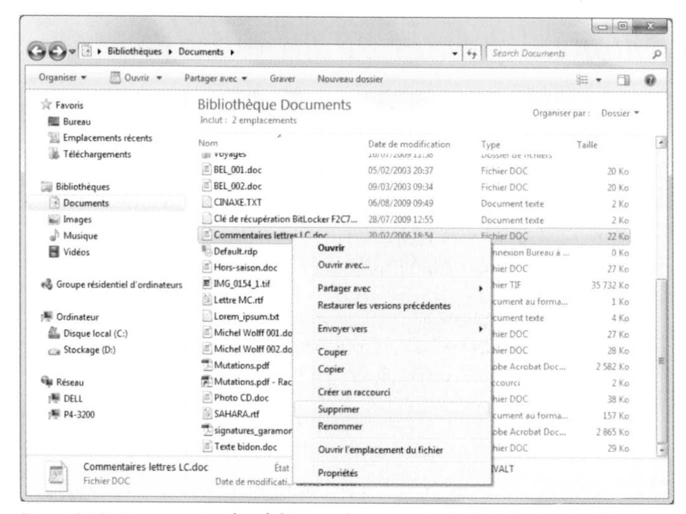

Figure 3.13 : La suppression d'un fichier avec le menu contextuel de l'Explorateur Windows.

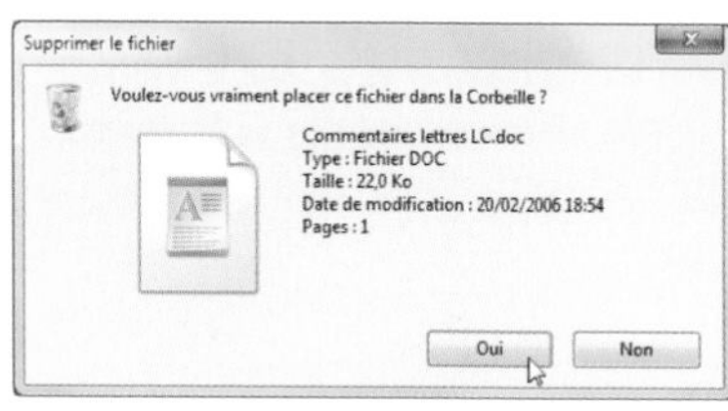

Figure 3.14 : Validez la suppression du fichier.

Compresser des fichiers ou des dossiers

1. Localisez avec l'Explorateur Windows les fichiers ou les dossiers à compresser (clic droit dans le menu Démarrer puis Explorer).
2. Dans l'Explorateur Windows vous pouvez :
   - **Sélectionner un ensemble de fichiers ou de dossiers** : Cliquez sur l'un d'eux puis, la touche Maj enfoncée, cliquez sur le dernier fichier ou dossier à sélectionner.
   - **Sélectionner des éléments épars** : La touche Ctrl enfoncée, cliquez sur chaque fichier (Figure 3.15) ou dossier à sélectionner.
3. Cliquez du bouton droit dans la sélection. Dans le menu contextuel (Figure 3.16), choisissez Envoyer vers/Dossier compressé. Un nouveau dossier compressé est créé; son nom est celui du dernier fichier sélectionné, mais avec l'extension ZIP. Le nom du dossier est immédiatement modifiable.

Comme indiqué à l'Etape 3, le nom du dossier compressé est prêt à être modifié. Tapez un nouveau nom, puis cliquez hors du champ de saisie. Pour le renommer ultérieurement, reportez-vous à la tâche « Renommer un fichier ou un dossier », ci-avant dans ce chapitre.

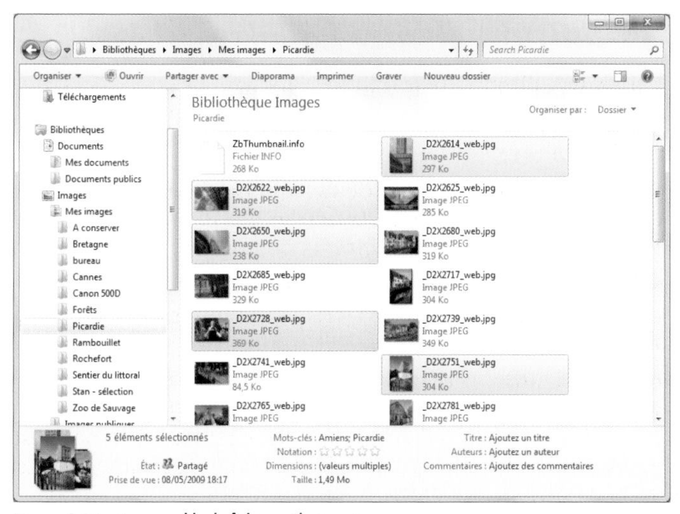

Figure 3.15 : Un ensemble de fichiers sélectionnés.

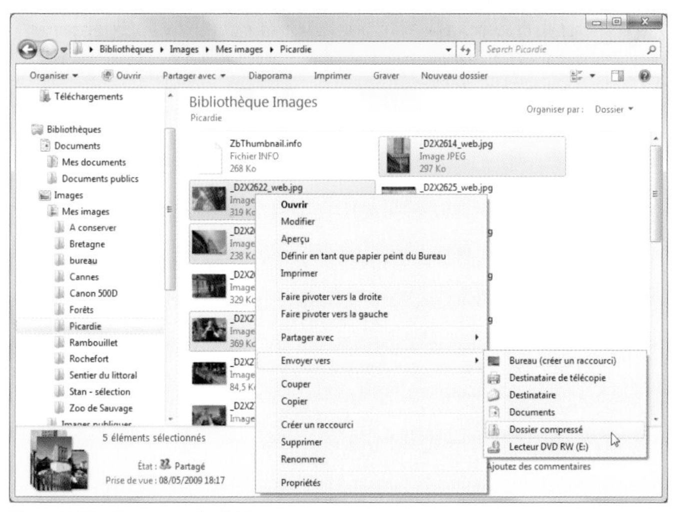

Figure 3.16 : Compressez les fichiers.

Ajouter un fichier aux Favoris

1. Localisez avec l'Explorateur Windows les fichiers ou les dossiers à placer dans les Favoris (clic droit dans le menu Démarrer puis Ouvrir l'Explorateur Windows).
2. Cliquez sur un fichier ou un dossier et tirez-le jusque sur le dossier Favoris, dans le volet Dossiers de gauche, comme à la Figure 3.17.
3. Pour consulter la liste des Favoris, si elle n'est pas déployée en haut à gauche de l'Explorateur Windows, cliquez sur le bouton triangulaire du dossier Favoris, dans le volet de navigation.
4. Dans le sous-menu, cliquez sur le favori désiré pour l'ouvrir (Figure 3.18).

Dans Windows 7, les favoris présents dans le volet de navigation ne sont plus affichés par le menu Démarrer. Pour afficher néanmoins le bouton Favoris dans le menu Démarrer, cliquez du bouton droit dans le panneau et choisissez Propriétés. Sous l'onglet Menu Démarrer, cliquez sur le bouton Personnaliser. Faites défiler le contenu de la fenêtre jusqu'à la case Menu Favoris, puis cochez-la. Cliquez ensuite sur OK.

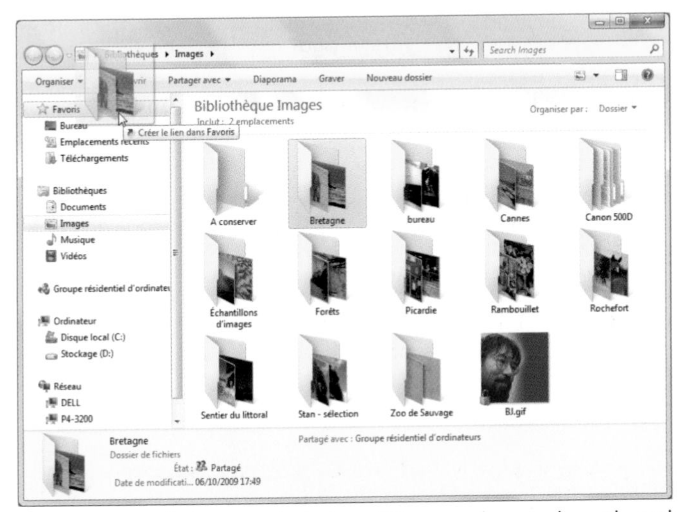

Figure 3.17 : Créez des favoris pour les dossiers et fichiers auxquels vous voulez accéder rapidement, d'un seul clic.

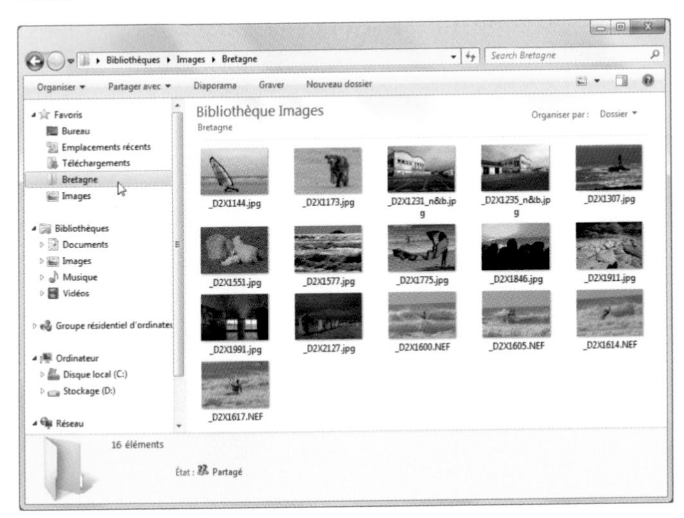

Figure 3.18 : Accès direct !

Chapitre 4

Utiliser les applications intégrées à Windows 7

Windows 7 ne se contente pas de régir le matériel et les logiciels qui constituent votre ordinateur. Il offre aussi une belle panoplie d'outils. Pour faire quoi ? Eh bien, ces outils réunis dans le dossier Accessoires permettent de faire beaucoup de choses. En voici un petit échantillon :

- Ecrire les mots pour le dire : WordPad est un bloc de papier virtuel que vous utiliserez pour coucher vos idées, écrire des lettres ou du code de programmation. Il n'est pas aussi sophistiqué qu'un traitement de texte, mais il permet néanmoins de créer des documents bien présentés.
- Manipuler des images : Windows fait de vous un artiste capable de modifier des fichiers d'images avec Paint ou de les visionner dans la Galerie de photos Windows. L'outil Capture permet de sélectionner des éléments de texte ou d'image, de les annoter, puis de les insérer dans divers documents.
- Gérer vos contacts et votre temps : Contact Windows est une version électronique du petit répertoire d'adresses que vous gardez près du téléphone. Le Calendrier Windows, lui, est un remarquable outil de gestion du temps qui vous rappellera les tâches, et qui peut être partagé entre plusieurs utilisateurs.

Créer un document dans WordPad et le mettre en forme

1. Choisissez Démarrer/Tous les programmes/Accessoires/WordPad. La fenêtre de WordPad apparaît (Figure 4.1).
2. Tapez du texte dans le document vierge (appuyez sur Entrée pour créer des lignes vides entre les paragraphes).
3. Cliquez et tirez pour sélectionner le texte. Assurez-vous que le ruban Accueil est affiché (cliquez au besoin sur l'onglet Accueil).
4. Dans le groupe de commandes de la Figure 4.2, faites votre choix dans les listes déroulantes Police, Taille et parmi les styles. Vous pouvez souligner ou barrer le texte sélectionné en cochant les cases appropriées, ou encore modifier la couleur et même utiliser une typographie différente des caractères latins, comme l'arabe ou l'hébreu. Cliquez sur OK.
5. Activez éventuellement d'autres fonctions dans le ruban Accueil, comme l'alignement ou les listes à puces ou numérotées.
6. Pour insérer une photo, placez la barre d'insertion dans une ligne vide, cliquez sur le gros bouton Insertion, dans le ruban, et choisissez Image. Le dossier Images s'ouvre.
7. Double-cliquez sur l'image à insérer (recherchez-la éventuellement dans les sous-dossier, ou ailleurs dans l'ordinateur).
8. Le document terminé, cliquez sur le bouton Enregistrer, en haut à gauche dans la barre d'outils (l'icône en forme de disquette). Dans la boîte de dialogue Enregistrer sous, nommez-le dans le champ Nom du fichier, sélectionnez un emplacement dans la liste déroulante de la Barre d'adresse, puis cliquez sur Enregistrer.

Envoyer le document par courrier électronique s'effectue en cliquant sur le bouton d'application bleu, en haut à gauche, et en choisissant Envoyer par courrier électronique. Un logiciel de messagerie doit cependant avoir été installé dans Windows 7.

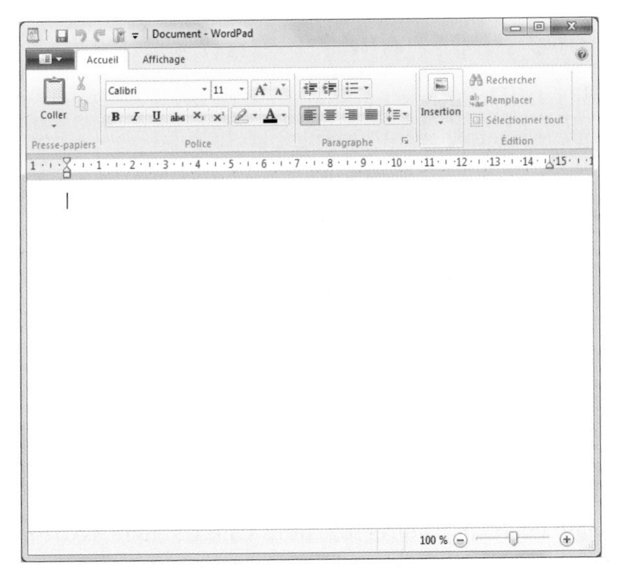

Figure 4.1 : WordPad est un petit traitement de texte bien sympa.

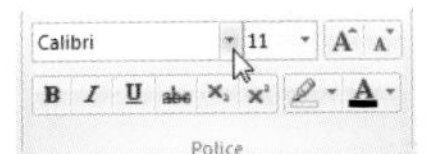

Figure 4.2 : Les commandes de Police de WordPad.

Modifier une photo avec Paint

1. Choisissez Démarrer/Tous les programmes/Accessoires/Paint.
2. Dans la boîte de dialogue Paint, cliquez sur le bouton d'application bleu, en haut à gauche, et choisissez Ouvrir. Localisez la photo à modifier (Figure 4.3) puis double-cliquez dessus. La Figure 4.4 montre Stan, le cocker aquatique.
3. Vous pouvez à présent :
   - **Appliquer des couleurs** : Choisissez une couleur dans la palette, en haut de Paint, et utilisez l'un des outils (Pinceau, Aérographe, Remplissage ou Prélèvement d'une couleur) pour dessiner ou appliquer une couleur à un objet sélectionné, comme le Rectangle. Cliquer sur une couleur en fait la couleur de premier plan, cliquer dessus du bouton droit en fait la couleur d'arrière-plan.
   - **Sélectionner des zones** : Délimitez une partie de l'image avec l'outil Sélection ou Sélection libre. Coupez ou copiez ensuite cet élément avec Edition/Couper ou Edition/Copier.
   - **Ajouter du texte** : Activez l'outil Texte, puis cliquez et tirez pour créer une zone de texte dans laquelle vous pourrez taper du texte et le mettre en forme.
   - **Dessiner des objets** : Activez l'outil Rectangle, Rectangle arrondi, Polygone ou Ellipse, puis cliquez et tirez pour tracer l'objet.
   - **Modifier l'image** : Les commandes du menu Image permettent d'inverser les couleurs, pivoter, retourner ou redimensionner l'image.
4. Cliquez sur l'icône Enregistrer – cele en forme de disquette – pour conserver votre chef-d'œuvre, ou cliquez sur le bouton d'application bleu et choisissez Imprimer ou, si un logiciel de messagerie a été installé, Envoyer par courrier électronique.

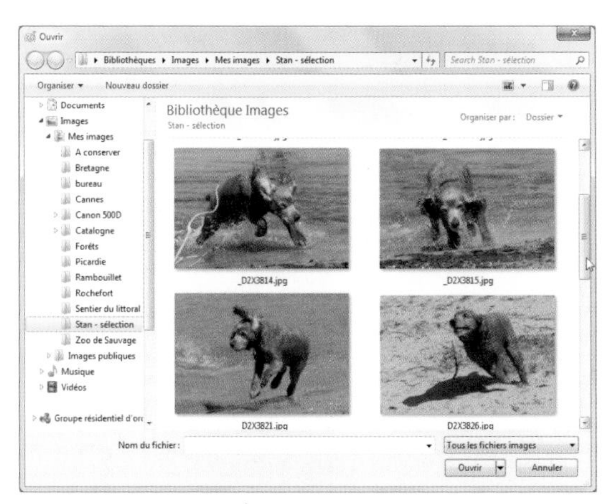

Figure 4.3 : Parcourez vos photos.

Figure 4.4 : Une photo ouverte dans Paint.

Les couleurs que proposent Paint ne vous suffisent pas ? Vous recherchez une teinte particulière ? Pour la trouver, cliquez sur le bouton Modifier les couleurs. Le sélecteur qui apparaît permet de définir n'importe laquelle des 16 777 216 couleurs disponibles. Après avoir choisi une couleur, cliquez sur le bouton Ajouter aux couleurs personnalisées.

Afficher une photo dans la Galerie de photos Windows Live

1. Téléchargez gratuitement le logiciel Galerie de photos Windows Live depuis le site www.windowslive.fr/galerie/. À l'instar d'autres logiciels, comme Windows Mail, celui-ci n'est plus livré avec Windows 7.
2. Cliquez sur Démarrer/Tous les programmes/Galerie de photos Windows Live.
3. Parcourez les photos à l'aide du volet de navigation (Figure 4.5). La glissière de zoom, en bas à droite, permet de modifier la taille des vignettes.
4. Double-cliquez sur une photo pour l'afficher dans toute la fenêtre et accéder aux commandes de retouche (Figure 4.6). Elles permettent de :
   - D'améliorer automatiquement l'aspect de la photo. Le résultat n'est cependant pas garanti (cliquez sur le bouton Annuler, en bas à droite, si le résultat est mauvais).
   - De corriger une photo un peu trop foncée ou un peu trop claire.
   - De corriger une dominante de couleur.
   - De redresser un horizon penché.
   - De recadrer la photo.
   - De renforcer quelque peu sa netteté.
   - De corriger les yeux rouges produits par l'éclair d'un flash.
   - De convertir la photo en noir et blanc.

   Cliquez sur le bouton Corriger, dans la barre de commande, si les outils de retouche ne sont pas visibles.

   D'autres boutons, en bas à droite sous l'image (de gauche à droite dans la Figure 4.7), servent à :

   - Passer à la photo précédente ou suivante.

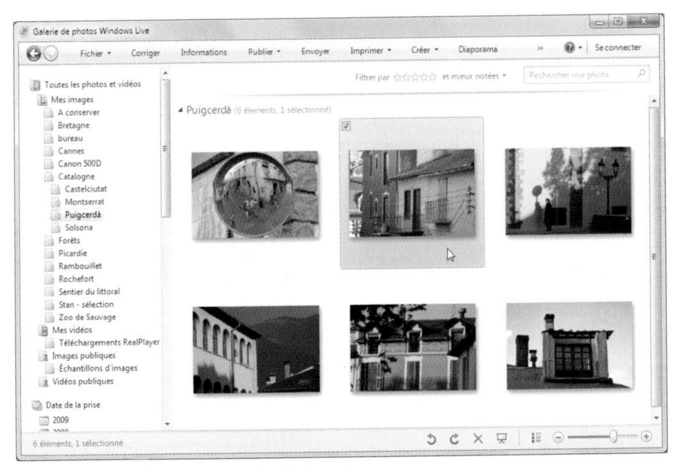

Figure 4.5 : La Galerie de photos de Windows Live.

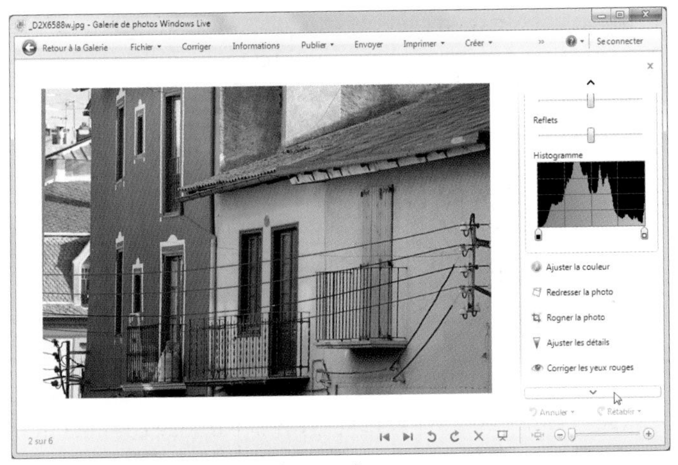

Figure 4.6 : Les commandes de retouche sont à droite.

- Basculer la photo de 90° vers la gauche ou vers la droite.
- Supprimer la photo.
- Visionner les photos sous forme de diaporama.
- Adapter la photo à la taille de la fenêtre.
- Zoomer en arrière ou en avant (en cliquant sur les boutons ou en actionnant la glissière).

5. Corrigez éventuellement une photo en vous servant des commandes à gauche. Toutes sont des boutons sur lesquels vous devez cliquer pour accéder à des réglages (excepté Corriger les yeux rouges).
6. La photo corrigée, cliquez sur le bouton Retour à la Galerie pour revenir à la fenêtre montrant vos photos. La barre de commandes contient les boutons suivants :
   - **Fichier** : Contient les commandes de gestion des fichiers comme Supprimer, Renommer ou Revenir à l'original (suppression de toutes les retouches).
   - **Corriger** : Affiche l'image sélectionnée ainsi que des outils de correction.
   - **Informations** : Fournit des informations concernant la photo sélectionnée.
   - **Publier** : Permet entre autres de mettre la photo en ligne sur Windows Live, Flickr.
   - **Envoyer** : Si un logiciel de messagerie est installé, cette commande place les photos sélectionnées dans un nouveau message électronique.
   - **Imprimer** : Imprime l'image.
   - **Diaporama** : Affiche les photos en plein écran (Figure 4.8).
7. Après avoir visionné et modifié des images, cliquez sur le bouton Fermer, en haut à droite (voir Figure 4.8), pour quitter la Galerie de Photos Windows Live.

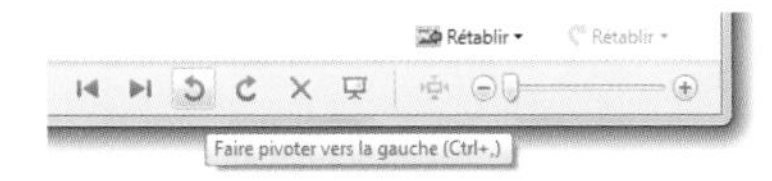

Figure 4.7 : Les commandes d'affichage de la photo.

Figure 4.8 : Un diaporama avec la Galerie de Photos Windows Live.

Prélever des graphismes avec l'outil Capture

1. Choisissez Démarrer/Tous les programmes/Accessoires/Outil Capture.
2. Dans la fenêtre Outil que montre la Figure 4.9, cliquez sur le bouton fléché de Nouveau, puis choisissez un mode de capture dans la liste :
   - **Capture Forme libre :** Permet de tracer n'importe quel polygone définissant la partie de l'image à copier.
   - **Capture rectangulaire :** Sert à copier une zone rectangulaire.
   - **Capture Fenêtre :** Copie la fenêtre active avec ses barres.
   - **Capture Plein écran :** Copie instantanément le contenu de la totalité de l'écran.
3. Si vous avez choisi l'outil Capture Forme libre ou Capture rectangulaire, à l'Etape 2, cliquez et tirez dans le Bureau pour délimiter la partie de l'écran à copier. Si vous avez choisi Capture Fenêtre, cliquez sur la fenêtre à reproduire. Si vous avez choisi Capture Plein écran, la capture s'effectue aussitôt.
4. Dans la fenêtre qui apparaît (Figure 4.10), annotez la capture avec les outils Stylet ou Surligneur. Il y a aussi une Gomme.
5. Cliquez sur le bouton en forme de disquette pour ouvrir la boîte de dialogue Enregistrer sous, où vous pourrez nommer la capture et choisir un dossier de stockage. Cliquez ensuite sur Enregistrer.

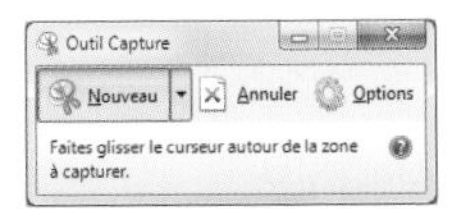

Figure 4.9 : L'interface de l'outil Capture.

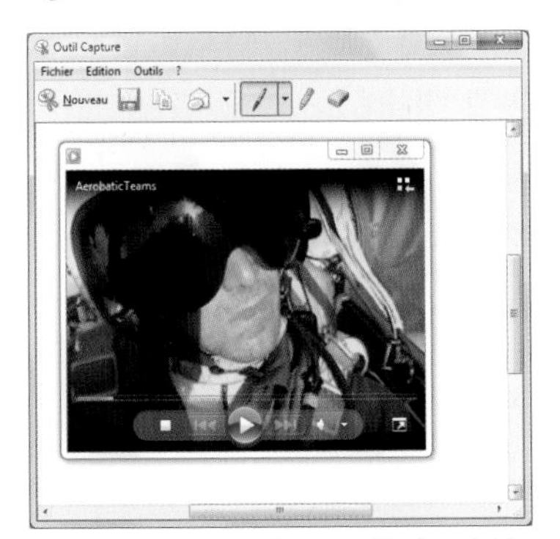

Figure 4.10 : Capture du Lecteur Windows Média pendant la lecture d'une vidéo.

Notez sur des Pense-bête

1. Choisissez Démarrer/Tous les programmes/Accessoires/ Pense-bête.
2. Tapez du texte dans le pense-bête qui vient d'apparaître. Vous pouvez aussi copier du texte dans un autre document et le coller dedans.

   Pour afficher un autre pense-bête (Figure 4.11), cliquez sur le bouton « + », en haut à gauche.
3. Tirez le pense-bête et déposez-le où bon vous semble en cliquant sur la barre supérieure et en le tirant, bouton de la souris enfoncé.
4. Pour supprimer un pense-bête, cliquez sur le bouton «- », en haut à droite.

Cliquez du bouton droit dans un pense-bête pour sélectionner une autre couleur (du rose pour un tendre rendez-vous, du rouge pour une facture à payer...).

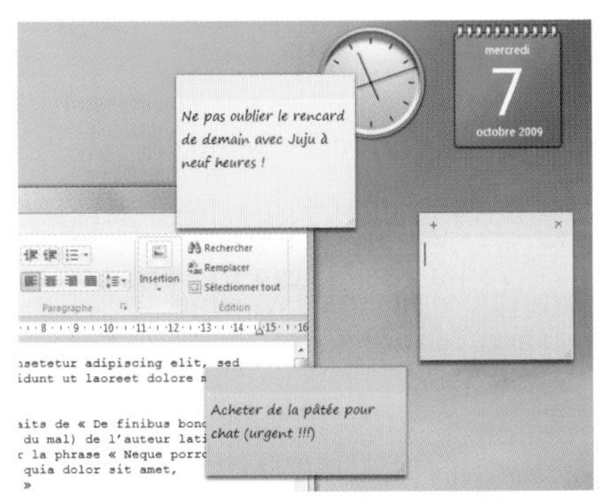

Figure 4.11 : Les pense-bête sont des Post-It virtuels.

Jonglez avec les chiffres grâce à la Calculatrice

1. Choisissez Démarrer/Tous les programmes/Accessoires/Calculatrice.
2. Utilisez la calculatrice comme une vraie, mais en cliquant sur les touches au lieu d'appuyer avec un doigt. Ou alors, utilisez les touches du clavier.

   Notez que l'opérateur de multiplication est l'astérisque (*) et l'opérateur de division est la barre inclinée (/).
3. Si vous avez mal saisi un chiffre, cliquez sur CE (Clear Entry, « effacer la saisie »). Pour annuler tout un calcul et en commencer un nouveau, cliquez sur la touche C (Cancel, « annuler »).
4. Cliquez sur le bouton Affichage pour choisir un autre modèle de calculette : Scientifique (Figure 4.12), Programmeur ou Statistiques. Le menu propose aussi un convertisseur d'unités (angle, énergie, longueur, poids/masse, température, vitesse, etc., ainsi que divers calculateurs (dates, emprunt…)
5. Cliquez sur le bouton Fermer, en haut à droite, pour quitter la calculatrice.

Choisissez Edition/Historique pour revoir les opérations que vous avez effectuées.

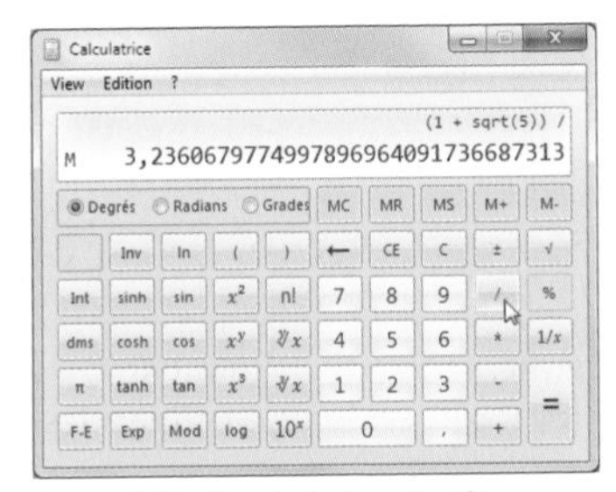

Figure 4.12 : La calculatrice scientifique.

Chapitre

5

Les gadgets de Windows 7

Windows 7 est doté de miniprogrammes appelés *gadgets*, affichés sur le Bureau sous la forme d'icônes de très grande taille. Ils vous permettent de connaître d'un coup d'œil l'heure, la date, le temps qu'il fait, les dernières infos et, si vous avez téléchargé le gadget Sytadin, l'état de la circulation en Île-de-France.

Voici un aperçu de leurs possibilités :

- Regarder : Le gadget Diaporama fait défiler vos photos préférées.
- Compter : Utilisez la Calculatrice pour effectuer les opérations arithmétiques simples ou complexes. Les chiffres sont entrés en cliquant sur les touches ou au clavier.
- Gérer le temps : Le Calendrier indique les jours, les semaines et les mois, et l'horloge – qui existe en différents styles – vous aide à être à l'heure.
- Passer le temps : Jouez au taquin avec le Puzzle graphique quand vous n'avez décidément rien de mieux à faire. Vous avez le choix entre plusieurs images.
- Connaître le temps : Le gadget Météo indique le temps qu'il fait chez vous ou dans n'importe quel autre endroit du monde.
- Acquérir des données en ligne : Le gadget Titre des flux permet d'afficher les flux RSS (un format d'agrégation de nouvelles et autres informations) provenant de journaux ou de sites spécialisés. Les gadgets Actions et Devises fournissent des cours et des taux de change en temps réel.
- Connaître les performances de l'ordinateur : Le gadget Compteur processeur indique la charge de travail du processeur ainsi que l'occupation de la mémoire vive.

Ajouter des gadgets sur le Bureau

1. Cliquez du bouton droit sur le Bureau et choisissez Gadgets. Vous accédez ainsi au sélecteur de gadgets (Figure 5.1).
2. Cliquez sur un gadget et tirez-le jusque sur le Bureau (Figure 5.2).
3. Cliquez sur le bouton Fermer pour quitter le sélecteur de gadgets.

Des gadgets sont créés en permanence. Cliquez sur le lien Télécharger d'autres gadgets, en bas à droite du sélecteur, pour en trouver d'autres.

Pour vous débarrasser d'un gadget, amenez le pointeur de la souris dessus. Une minuscule barre d'outils apparaît ; cliquez sur l'icône marquée d'un « X » pour ôter le gadget de l'écran (il subsiste néanmoins dans le sélecteur).

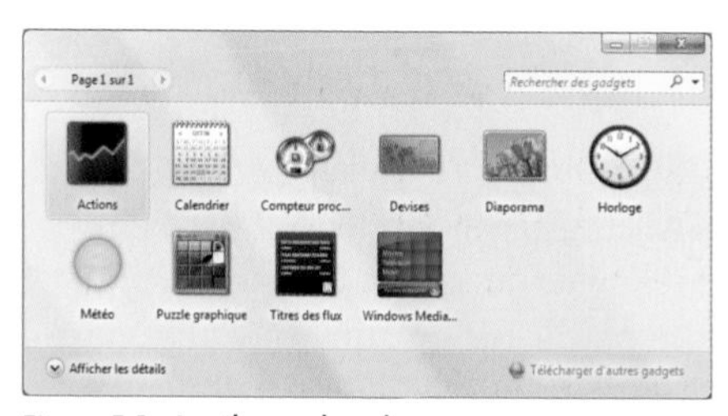

Figure 5.1 : Le sélecteur de gadgets.

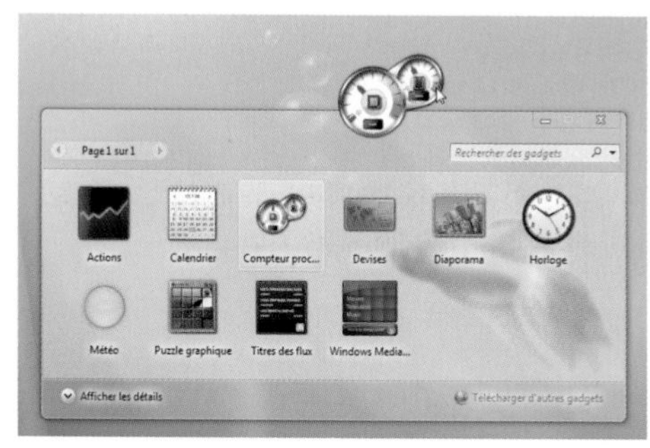

Figure 5.2 : Le gadget Compteur processeur est tiré sur le Bureau.

Connaître l'heure

1. Cliquez du bouton droit sur le Bureau et choisissez Gadgets.
2. Dans le sélecteur de gadgets, cliquez sur Horloge et tirez son icône sur le Bureau.
3. Pour changer son apparence ou choisir un autre fuseau horaire, placez le pointeur de la souris sur l'horloge puis cliquez sur l'icône Options (celle en forme de clé anglaise).
4. Dans la boîte de dialogue Horloge qui apparaît, cliquez sur le bouton Suivant (Figure 5.3) pour voir les différents modèles d'horloges.
5. Si vous le désirez, vous pouvez nommer l'horloge et aussi choisir un autre fuseau horaire dans le menu.
6. Cliquez sur OK pour valider vos choix.

Certaines horloges permettent aussi d'afficher la trotteuse ou non.

Si, lors d'un déplacement, vous désirez afficher à la fois l'heure de chez vous et celle du lieu où vous êtes, il vous suffit de tirer une seconde horloge depuis le sélecteur de gadget. Nommez l'une Paris, par exemple, et l'autre Bangkok.

Figure 5.3 : Plusieurs horloges peuvent être placées sur le Bureau.

Afficher un diaporama

1. Ouvrez le sélecteur de gadgets comme expliqué précédemment, puis tirez le gadget Diaporama jusque sur le Bureau.
2. Amenez le pointeur de la souris sur le gadget Diaporama pour afficher la barre de commandes en bas de la photo (Figure 5.4). Vous pourrez ainsi sur le bouton :
   - Suivant pour passer à la prochaine photo.
   - Pause pour immobiliser le diaporama.
   - Précédent revenir d'une photo en arrière.
   - Cliquez sur le bouton Affichage pour visionner l'image courante dans la Galerie de photos Windows Live, si elle a été installée.
3. Cliquez sur le bouton Options. Dans la boîte de dialogue de la Fenêtre 5.5, choisissez un autre dossier d'images, ou modifiez la cadence de l'affichage des vues, ou appliquez une transition entre chacune d'elles.
4. Cliquez sur OK pour fermer la boîte de dialogue.

Visionner l'image dans la Galerie de photos Windows Live, en cliquant sur le bouton Affichage, permet de retoucher l'image, de l'envoyer par courrier électronique, voire de créer un film.

La barre d'outils de nombreux gadgets contient une icône Taille plus grande/Taille plus petite. Cliquez dessus pour agrandir ou réduire le gadget.

Figure 5.4 : Le Diaporama et sa barre de commandes.

Figure 5.5 : Le paramétrage du gadget Diaporama.

Utiliser le Calendrier

1. Ouvrez le sélecteur de gadgets comme expliqué précédemment, puis tirez le gadget Calendrier jusque sur le Bureau (Figure 5.6).
2. Amenez le pointeur de la souris sur le gadget puis cliquez sur l'icône Taille plus grande afin de l'agrandir. En fait, il ne devient pas plus grand, mais une page montrant le mois apparaît au-dessus (Figure 5.7).
3. Cliquez sur les flèches Suivant et Précédent, dans l'affichage supérieur, pour consulter d'autres mois. Double-cliquez sur une date pour l'afficher dans la partie inférieure ; cliquez ensuite sur le coin écorné, en bas à gauche, pour réafficher le jour courant.

Si vous préférez la présentation en petite taille, mais que vous désirez voir le calendrier, double-cliquez sur le gadget montrant la date courante. Le mois sera affiché à sa place. Double-cliquez sur le jour courant pour revenir à la présentation normale.

Quand le calendrier mensuel est affiché, n'importe quelle date peut être affichée en grand en double-cliquant dessus.

Figure 5.6 : Le gadget Calendrier.

Figure 5.7 : L'affichage du mois.

Reconstituer un puzzle

1. Ouvrez le sélecteur de gadgets comme expliqué précédemment, puis tirez le gadget Puzzle graphique jusque sur le Bureau (Figure 5.8).
2. Cliquez sur l'un des outils en haut du puzzle pour :
   - Suspendre le minuteur (il est enclenché dès qu'une première pièce a été bougée).
   - Voir l'image que vous tentez de reconstituer (maintenez le bouton de la souris enfoncé).
   - Résoudre le puzzle (premier clic) ou redisposer ses pièces autrement (second clic).
3. Cliquez sur n'importe quelle pièce jouxtant l'emplacement vide. Elle se place à cet emplacement. Cliquez ainsi jusqu'à ce que l'image soit reconstituée ou les chiffres ordonnés de 1 à 15.
4. Cliquez sur le bouton Options, en haut à droite du gadget, pour accéder au sélecteur d'images (Figure 5.9).
5. Cliquez sur le bouton Suivant ou Précédent pour parcourir les diverses images disponibles du puzzle.
6. Après avoir choisi une image, cliquez sur OK pour fermer la boîte de dialogue.

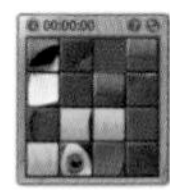

Figure 5.8 : Le gadget ludique Puzzle graphique.

Figure 5.9 : Les options du Puzzle graphique.

Convertir des devises

1. Ouvrez le sélecteur de gadgets comme expliqué précédemment, puis tirez le gadget Devises jusque sur le Bureau (Figure 5.10).
2. Si l'ordinateur est connecté à l'Internet les derniers cours sont téléchargés. Ensuite :
   - Saisissez une valeur en euros. Sa contre-valeur en dollars est affichée.
   - Cliquez sur la flèche à droite de l'une des devises afin de choisir une autre monnaie à convertir (voir Figure 5.11).

Pour connaître la source des cours, cliquez sur le lien Fournisseurs de données. La page Web MSN Finances apparaît. Cliquez sur l'onglet Finances puis, à la rubrique Bourse, dans la colonne de gauche, cliquez sur le lien Devises pour obtenir les cours actuels.

Plusieurs gadgets Devise peuvent être ouverts afin de comparer des cours (NdT : Plusieurs cours peuvent être affichés dans un seul gadget en cliquant sur le bouton « + », en bas à gauche, et en sélectionnant une devise).

Figure 5.10 : Le gadget Devise nécessite une connexion Internet.

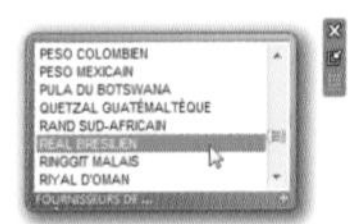

Figure 5.11 : Sélectionnez une devise.

Ajouter un flux RSS au volet Windows

1. Ouvrez le sélecteur de gadgets comme expliqué au début du chapitre, puis tirez le gadget Titres des flux jusque sur le Bureau. Si vous le désirez, agrandissez le gadget afin de mieux lire son contenu.
2. Double-cliquez sur un flux pour afficher un résumé dans une petite fenêtre à gauche de la liste (Figure 5.12).
3. Cliquez sur le lien Lire en ligne pour accéder à la page Web contenant l'article complet (assurez-vous que l'ordinateur soit connecté à l'Internet).
4. Cliquez sur le bouton Options et, dans la boîte de dialogue de la Figure 5.13, choisissez le type de flux par défaut ainsi que le nombre de titres à afficher dans le gadget.
5. Cliquez sur OK pour fermer la boîte de dialogue.

Cliquez sur les boutons Suivant et Précédent, en bas du gadget Titres de flux, pour parcourir tous les flux.

Pour en savoir plus sur les flux RSS, cliquez sur le lien Que sont les flux ?, dans les options du gadget.

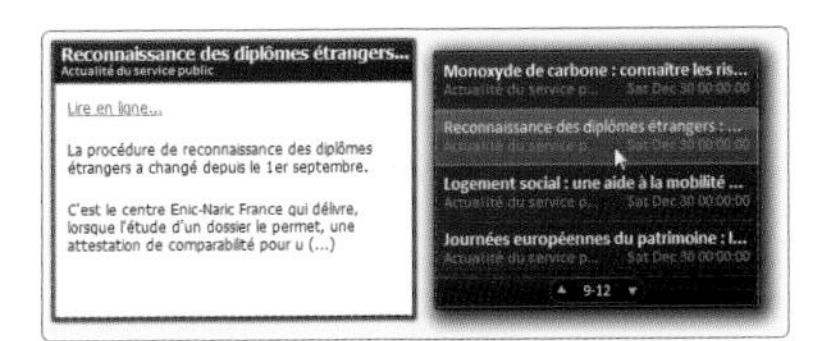

Figure 5.12 : Lecture du résumé d'un flux RSS.

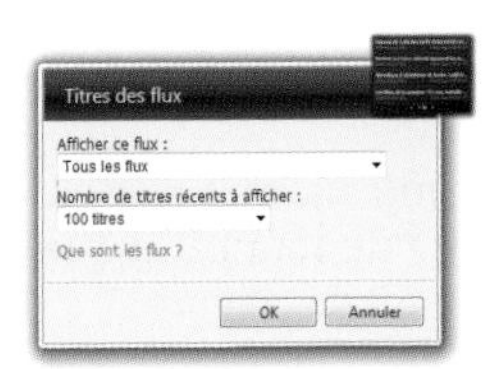

Figure 5.13 : Configurez ici l'affichage des flux RSS.

Obtenir les cours de la Bourse

1. Ouvrez le sélecteur de gadgets comme expliqué au début du chapitre, puis tirez le gadget Actions jusque sur le Bureau. Si vous le désirez, agrandissez le gadget afin de mieux lire son contenu.
2. Assurez-vous que l'ordinateur soit connecté à l'Internet. Les cours des actions sont affichés, comme le montre la Figure 5.14.
3. Cliquez sur le bouton Rechercher (le « + » en bas à droite) et saisissez le symbole d'une action. Procédez ensuite comme suit dans la boîte de dialogue qui apparaît :
   - Saisissez le code d'une valeur dans le champ Ajouter une action, puis cliquez sur le bouton en forme de loupe. Cliquez ensuite sur une action, dans la liste des résultats (Figure 5.15) pour l'ajouter à la liste de vos actions
   - Pour supprimer une action qui ne vous concerne pas, dans la liste principale, cliquez dessus puis sur la petite croix en haut à droite.
4. Cliquez sur une action pour afficher les détails dans le navigateur Web.
5. Cliquez sur le bouton Fermer pour quitter le navigateur Web.

Cliquez sur l'icône en forme de tilde pour afficher un graphique des fluctuations boursières au cours de la journée.

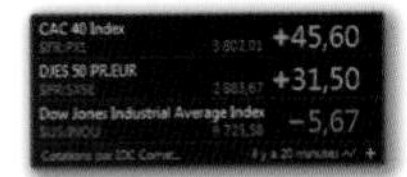

Figure 5.14 : Affichage des cours de la Bourse.

Figure 5.15 : Cliquer sur la valeur pour l'ajouter à la liste.

Surveiller l'ordinateur

1. Ouvrez le sélecteur de gadgets comme expliqué au début du chapitre, puis tirez le gadget Compteur processeur jusque sur le Bureau. Il peut être agrandi si vous le désirez.
2. Gardez un œil sur les cadrans pour :
   - Evaluer la charge de travail du microprocesseur.
   - Connaître l'occupation de la mémoire vive (ou RAM, *Random Access Memory*, « mémoire à accès aléatoire ») de l'ordinateur.

Le Compteur processeur n'est pas paramétrable. C'est juste un indicateur révélant les performances de l'ordinateur. Si l'aiguille du processeur est presque à bout de course, c'est parce que un ou plusieurs programmes lui infligent des calculs informatiques intensifs, ce qui risque de ralentit l'ordinateur. Si la mémoire est occupée à 100 %, vous devrez envisager de fermer des programmes ou augmenter la mémoire vive.

Pour en savoir plus sur l'utilisation de la mémoire par l'ordinateur, choisissez Démarrer/Panneau de configuration. Cliquez sur Système et sécurité. Le lien Système permet de connaître les performances globales de l'ordinateur (cadence du processeur, mémoire disponible, etc.)

Figure 5.16 : Deux beaux cadrans de voiture de course...

Deuxième partie

Se connecter à l'Internet

Chapitre 6

Accéder à l'Internet

L'Internet est devenu aussi indispensable à l'ordinateur que le téléphone mobile pour un ado. Il permet de communiquer, d'échanger des fichiers, de partager des images ou de la musique, d'acheter des biens et des services et de se documenter sur tout, de l'ablette au zébu.

Etablir une connexion n'est pas bien compliqué. La plupart des fournisseurs d'accès Internet (FAI) fournissent un logiciel qui automatise le processus. Mais, comme il est possible de se connecter de diverses manières, vous serez confronté à plusieurs technologies. Vous devrez aussi vous coltiner quelques paramètres pour que tout fonctionne comme prévu.

Dans ce chapitre vous découvrirez comment :

- Configurer votre connexion : L'Assistant Nouvelle connexion vous aidera. Vous indiquerez ensuite la connexion par défaut afin de vous connecter de la manière que vous préférez.
- Modifier les paramètres : Que vous utilisiez une connexion par modem téléphonique ou permanente (ADSL ou câble), vous apprendrez ici comment partager la connexion Internet avec autrui.
- Utiliser la connexion Internet pour se connecter à un réseau : Se connecter au réseau d'une entreprise, lors d'un déplacement, est facile. Je vous expliquerai comment.

Configurer une nouvelle connexion Internet

1. Choisissez Démarrage/Panneau de configuration/Réseau et Internet.
2. Dans la fenêtre qui apparaît, cliquez sur Centre Réseau et partage.
3. Au milieu de la fenêtre Centre réseau et partage, cliquez sur le lien Configurer une nouvelle connexion ou un nouveau réseau (Figure 6.1).
4. Dans la boîte de dialogue Choisir une option de connexion, acceptez l'option par défaut, Se connecter à Internet, et cliquez sur Suivant.
5. Dans la boîte de dialogue qui apparaît, cliquez sur votre connexion (ces étapes sont celles d'une connexion à haut débit). Si une connexion existe déjà, une fenêtre demande si vous désirez l'utiliser. Choisissez Configurer une nouvelle connexion puis cliquez sur Haut débit (PPPoE).
6. Dans la boîte de dialogue qui suit, celle de la Figure 6.2, entrez votre nom d'utilisateur, le mot de passe et, éventuellement, un nom pour la connexion. Cliquez sur Connecter. La liste des connexions apparaît dans le Centre réseau et partage.

Le plus souvent, le CD d'installation du fournisseur d'accès Internet vous dispense de ces étapes. Insérez-le dans le lecteur et, en un rien de temps, votre ordinateur est prêt pour l'Internet.

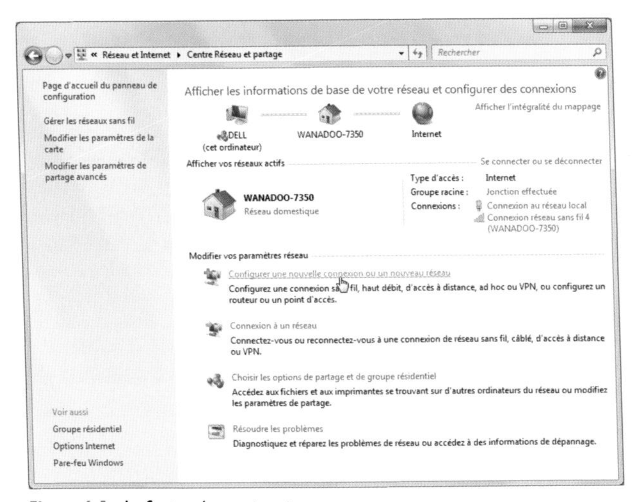

Figure 6.1 : Le Centre réseau et partage.

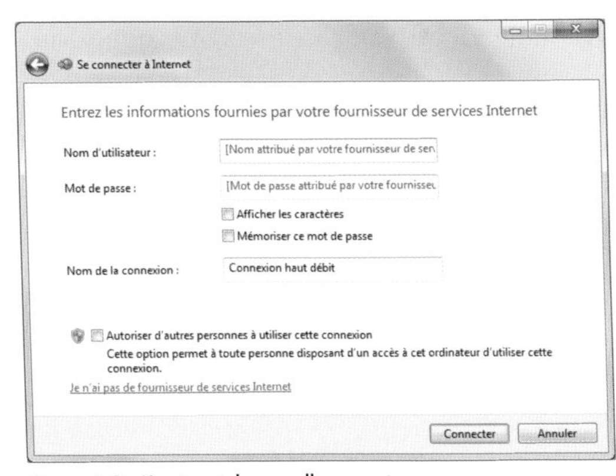

Figure 6.2 : L'assistant de nouvelle connexion.

Partager une connexion Internet sur un réseau

1. Vous pouvez utiliser le routeur – ou « box » – pour partager la connexion ; reportez-vous à son manuel pour savoir comment procéder, ou recourir aux étapes de la présente tâche. Dans ce cas, choisissez Démarrer/Panneau de configuration/Réseau et Internet.
2. Dans la fenêtre qui apparaît, cliquez sur le lien Centre réseau et partage.
3. Dans le volet de gauche de la fenêtre Centre réseau et partage (reportez-vous à la Figure 6.1), cliquez sur le lien Gérer les réseaux sans fil.
4. Dans la fenêtre de la Figure 6.3, cliquez sur une connexion et dans la barre de commande qui apparaît juste en haut, cliquez sur Propriétés de la carte.
5. Dans la boîte de dialogue Propriétés de Connexion, cliquez sur l'onglet Partage.
6. Cochez la case Autoriser d'autres utilisateurs du réseau à se connecter via la connexion Internet de cet ordinateur (Figure 6.4).
7. Si vous désirez autoriser les autres utilisateurs du réseau à établir ou interrompre la connexion Internet partagée, cochez la case Autoriser d'autres utilisateurs du réseau à contrôler ou désactiver la connexion Internet partagée.
8. Cliquez sur OK puis fermez la fenêtre Gérer les connexions réseau afin d'enregistrer les paramètres de connexion.

Les paramètres TCP/IP (*Transmission Control Protocol/Internet Protocol*) des autres ordinateurs du réseau doivent aussi être paramétrés pour obtenir automatiquement une adresse IP et bénéficier ainsi du partage automatique de la connexion.

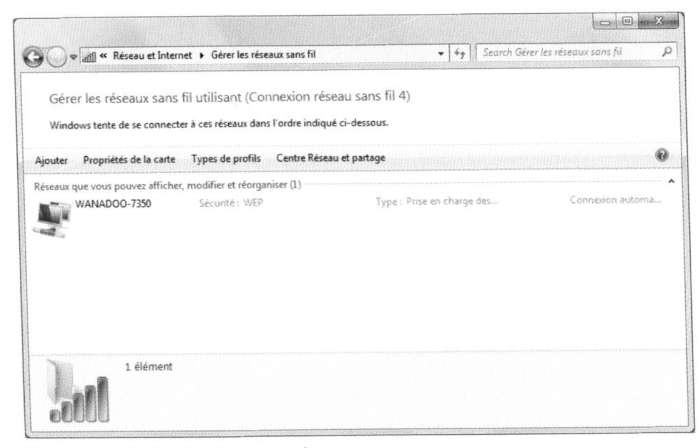

Figure 6.3 : La fenêtre de gestion des connexions réseau.

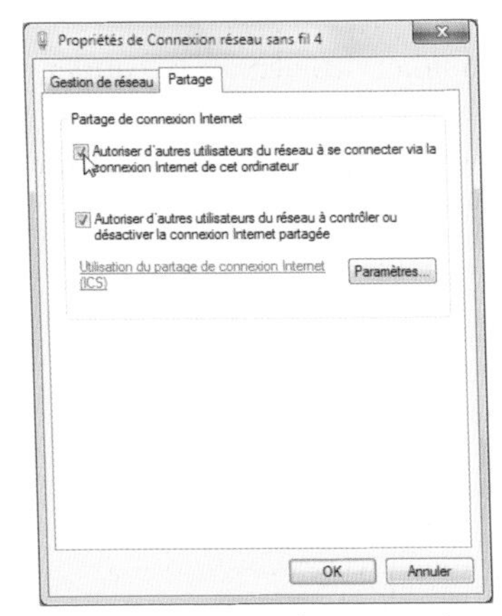

Figure 6.4 : Les options des propriétés de partage.

Configurer une connexion TCP/IP

1. Qu'un réseau soit déjà configuré chez vous ou sur votre lieu de travail, ou que vous vouliez vous connecter à un réseau lors de vos déplacements, vous pourrez définir les paramètres à utiliser en procédant ainsi : choisissez Démarrage/Panneau de configuration/Réseau et Internet.
2. Dans la fenêtre qui apparaît, cliquez sur le lien Centre réseau et partage.
3. Dans le volet de gauche de la fenêtre Centre réseau et partage (reportez-vous à la Figure 6.1), cliquez sur Gérer les réseaux sans fil.
4. Cliquez du bouton droit sur une connexion et choisissez Propriétés (Figure 6.5).
5. Dans la boîte de dialogue Propriétés de réseau sans fil, cliquez sur l'onglet Connexion (Figure 6.6).
6. Procédez à ces paramétrages, sous l'onglet Connexion :
   - **Me connecter automatiquement lorsque ce réseau est à portée** : La connexion est établie chaque fois que Windows détecte ce réseau.
   - **Me connecter à un réseau favori prioritaire si cela est possible** : Autorise Windows à se connecter à un réseau préféré s'il en détecte un. Une connexion préférée est tout réseau auquel vous vous êtes déjà connecté précédemment. Il arrive parfois que cette option fasse aller et venir Windows entre plusieurs réseaux préférés. Dans ce cas, décochez cette option.
   - **Me connecter même si le réseau ne diffuse pas son nom (SSID)** : Le SSID (*Service Set Indentifier*, « identifiant de l'ensemble des services ») est le nom public du réseau. Pour des raisons de sécurité, vous ne devez pas vous connecter à un réseau qui ne divulgue pas son identifiant.
7. Cliquez sur OK pour fermer la boîte de dialogue Propriété de réseau sans fil. Quittez ensuite la fenêtre Gérer les réseaux sans fil en cliquant sur le bouton Fermer, en haut à droite de la barre de titre.

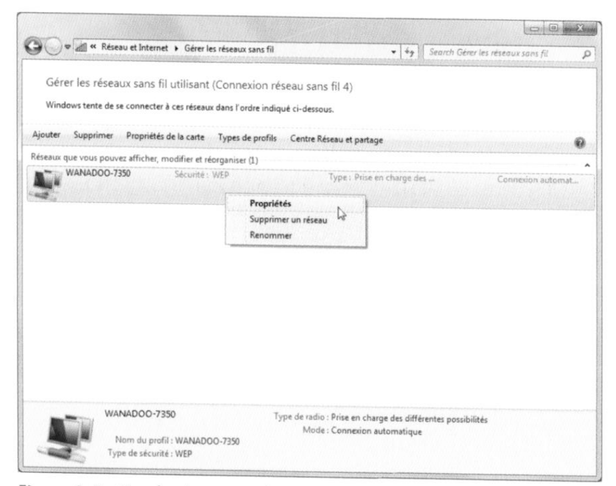

Figure 6.5 : L'onglet de gestion de réseau sans fil.

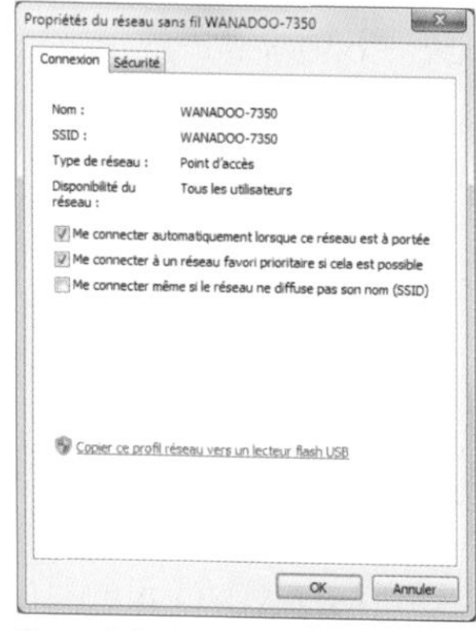

Figure 6.6 : Les options de connexion de réseau sans fil.

Bien que vous puissiez spécifier manuellement une adresse IP, il est recommandé de la laisser attribuer automatiquement. Ainsi, en cas de changement de la configuration du réseau, vous n'aurez pas à la modifier manuellement. Cela vous dispense aussi de la corvée de configurer le serveur DNS. Ces salades techniques vous dépassent ? Alors, conservez la configuration automatique.

Réparer une connexion

1. Choisissez Démarrage/Panneau de configuration/Réseau et Internet.
2. Dans la fenêtre qui apparaît, cliquez sur le lien Centre Réseau et partage.
3. Cliquez sur le lien Résoudre les problèmes.
4. Dans la fenêtre Résoudre les problèmes (Figure 6.7), cliquez sur le lien Connexions Internet puis, dans la fenêtre.
5. Un diagnostic est démarré (Figure 6.8), suivi de suggestions de dépannage. Cliquez sur une l'une d'elle pour exécuter ce qu'elle préconise, puis sur le bouton Fermer. Parfois, la suggestion est une action, comme brancher un câble.

Le diagnostic ne débouche pas toujours sur des suggestions. Dans ce cas, il est préférable de supprimer la connexion incriminée puis de la recréer.

La panne de réseau est peut-être due à un paramètre que vous venez de modifier. Dans ce cas, il peut être efficace de rétablir un point de restauration antérieur. Il configurera le système tel qu'il était avant d'avoir modifié les paramètres, mais sans rien supprimer (ni programmes ni données). Reportez-vous au Chapitre 18 pour en savoir plus sur les points de restauration.

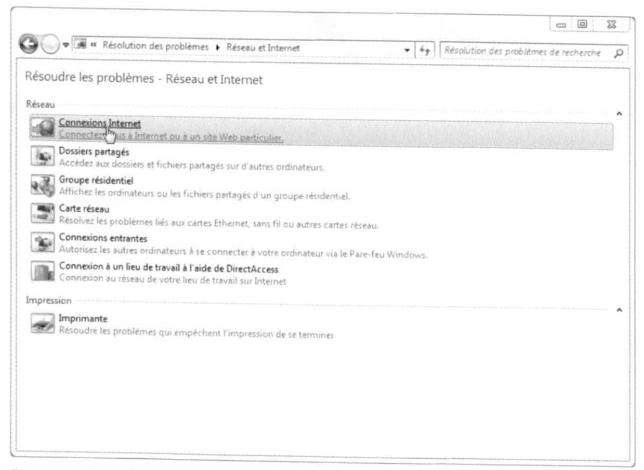

Figure 6.7 : Sélectionnez le type de problème.

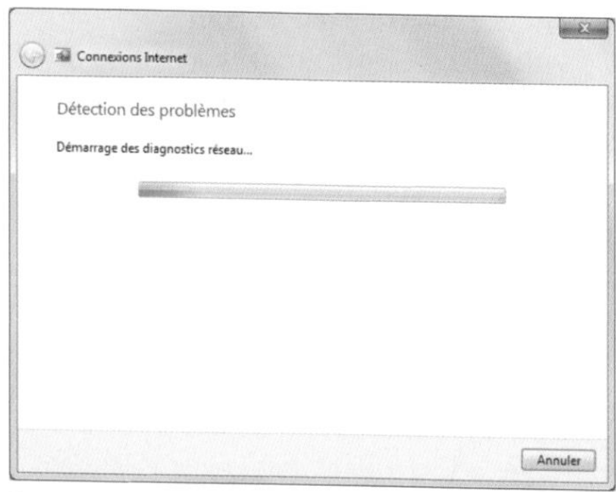

Figure 6.8 : Windows 7 examine l'état de la connexion.

Réseau domestique, de bureau et public

1. Beaucoup de gens disposent à la fois d'un réseau chez eux et d'un autre au travail. Windows peut appliquer les paramètres de sécurité appropriés selon le type de connexion que vous indiquez. Choisissez Démarrer/Panneau de configuration/ Réseau et Internet.
2. Dans la fenêtre qui apparaît, cliquez sur le lien Centre Réseau et partage.
3. Dans la fenêtre Centre réseau et partage (Figure 6.9), sous Afficher vos réseaux actifs, cliquez sur le lien du type de réseau (Réseau domestique, par exemple).
4. Dans la fenêtre Définir un emplacement réseau, choisissez l'une de ces trois options :
   - **Réseau domestique** : Vous voyez tous les autres ordinateurs et périphériques et tous les autres ordinateurs et périphériques voient le vôtre. Cette option vous autorise à voir ce qui est partagé avec autrui, comme des photos ou des documents.
   - **Réseau de bureau** : La visibilité est réduite. Vous apercevez notamment un plus petit nombre d'éléments partagés.
   - **Réseau public** : C'est option la plus sécuritaire. Elle vous interdit de créer des groupes ou d'accéder aux autres ordinateurs du réseau.

L'ordinateur établit la connexion par défaut chaque fois que vous cliquez sur un lien pointant vers un emplacement en ligne ou quand vous démarrez le navigateur Web. Il est cependant possible d'ouvrir manuellement une connexion en ouvrant la fenêtre Réseau et Internet, puis en cliquant sur le lien Connexion à un réseau, en cliquant du bouton droit sur une connexion et en choisissant Connecter.

Pourquoi changer de type de connexion ? Quand vous vous déplacez avec votre ordinateur portable, vous cessez de vous connecter chez vous (réseau sûr) et vous vous connectez à un réseau public (réseau exposé) dans un hôtel, un aéroport ou ailleurs. Vous pouvez aussi choisir de créer deux types de connexions : Réseau domestique et Réseau public.

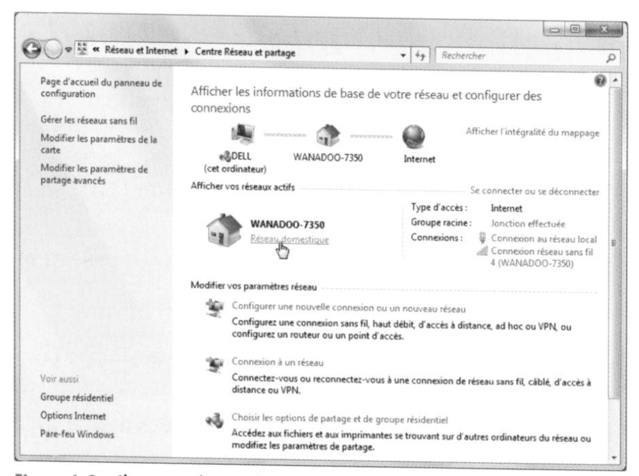

Figure 6.9 : Cliquez sur le type de réseau à changer.

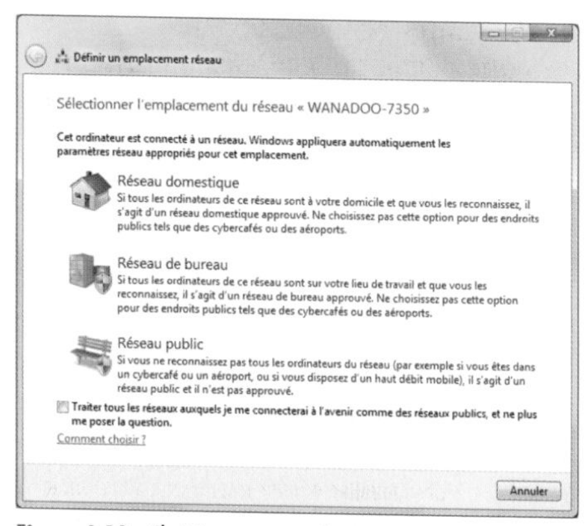

Figure 6.10 : Choisissez un type de réseau.

Supprimer une connexion Internet

1. Choisissez Démarrage/Panneau de configuration/Réseau et Internet.
2. Dans la fenêtre qui apparaît, cliquez sur le lien Centre Réseau et partage.
3. Dans le Centre réseau et partage, cliquez sur le lien Gérer les réseaux sans fil (Figure 6.11).
4. Dans la fenêtre Gérer les réseaux sans fil, cliquez du bouton droit sur le réseau à supprimer et choisissez l'option Supprimer un réseau.

Même si vous n'utilisez plus une connexion, il n'est pas gênant de la conserver. En revanche, si plusieurs personnes utilisent l'ordinateur, trop de connexions inutiles risque de semer la confusion. Dans ce cas, il est préférable de faire le ménage et de supprimer celles qui ne servent plus.

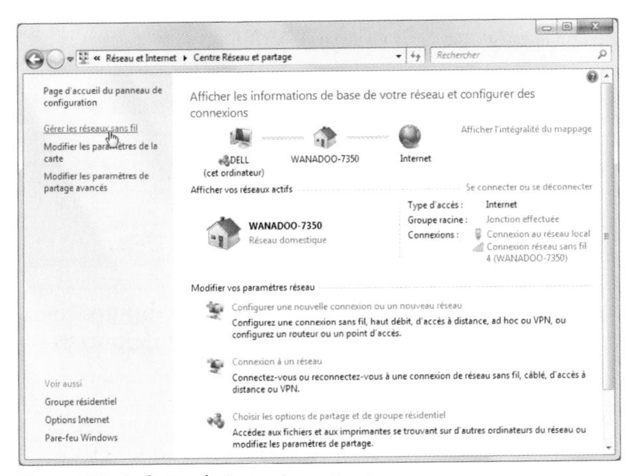

Figure 6.11 : La fenêtre du Centre réseau et partage.

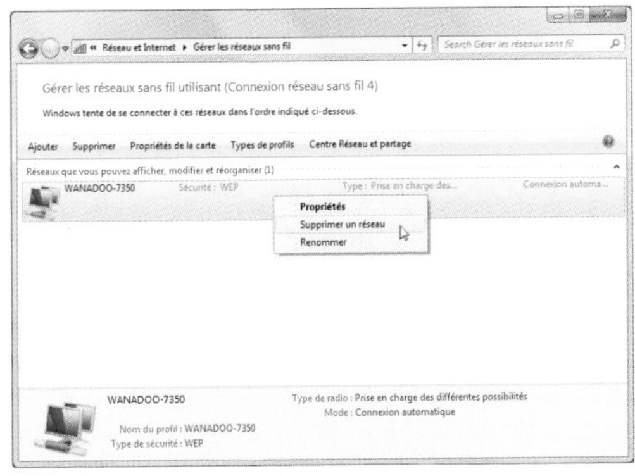

Figure 6.12 : La suppression d'une connexion.

Chapitre 7

Surfer sur le Web avec Internet Explorer

Pour sillonner les autoroutes de l'information, il vous faut un bon véhicule. Un *navigateur Web* est un programme qui sert à explorer l'Internet. Nous allons utiliserons pour notre étude la version 8 du navigateur de Microsoft.

Ceci dit, nous avons fais ce choix parce Internet Explorer fait partie de Windows 7, mais il existe d'autres navigateurs Web, notamment Firefox (www.mozilla-europe.org/fr/firefox/), qui est gratuit.

Le navigateur Internet Explorer permet de :

- Naviguer sur le Web : Utilisez les fonctions de navigation pour aller d'un site à un autre, revenir dans ceux qui vous ont plu – à l'aide des fonctions Historique et Favoris –, et rechercher de nouveaux lieux à visiter.
- Télécharger des fichiers ou imprimer des pages Web : Quand vous aurez trouvé ce que vous cherchiez, une image ou un logiciel gratuit, vous voudrez l'enregistrer pour l'utiliser ultérieurement. Vous désirez imprimer une page Web ? Utilisez la fonction Imprimer d'Internet Explorer.
- Garantir votre protection : L'Internet n'est pas un lieu forcément bien fréquenté, loin de là. Des malfaisants tentent de vous soutirer des informations personnelles et d'en faire mauvais usage. Internet Explorer est doté de fonctions de confidentialité et de protection contrôlant entre autres les cookies, ces petits fichiers que des sites Web placent dans votre ordinateur pour suivre vos activités en ligne. Le Gestionnaire d'accès peut vous aider à restreindre les lieux visitables depuis votre ordinateur.

Naviguer sur le Web

1. Dans la barre Lancement rapide, sur la Barre des tâches, cliquez sur l'icône d'Internet Explorer afin de le démarrer.
2. Entrez l'adresse d'un site Web dans la barre d'adresse (voir Figure 7.1) et appuyez sur Entrée.
3. Dans la page qui apparaît, cliquez sur un lien pour accéder à une autre page Web, ou entrez une autre adresse pour visiter un autre site.

Un lien peut se présenter sous la forme d'un texte, généralement souligné en violet, ou d'un graphisme. Le pointeur de la souris se transforme en main lorsqu'il survole un lien.

4. Cliquez sur le bouton Précédent pour revenir en arrière; sur le bouton Suivant pour avancer à une page déjà visitée.
5. Cliquez sur le bouton fléché, à droite de la barre d'adresse, pour afficher une liste de sites récemment visités (Figure 7.2). Cliquez sur l'un d'eux pour y aller.

Les boutons Actualiser et Arrêter, à droite de la barre d'adresse, sont très pratiques. Cliquer sur Actualiser réaffiche la page courante. Il est commode pour voir la dernière version d'un site fréquemment mis à jour (Bourse, actualité...), ou si la page n'a pas été correctement chargée. Le bouton Arrêter interrompt le chargement de la page.

Si vous le désirez, cliquez sur le bouton Outils et choisissez Bloqueur de fenêtres publicitaires/Activer le bloqueur de fenêtres publicitaires. Cette fonction permet de spécifier les sites pour lesquels vous autorisez ces fenêtres.

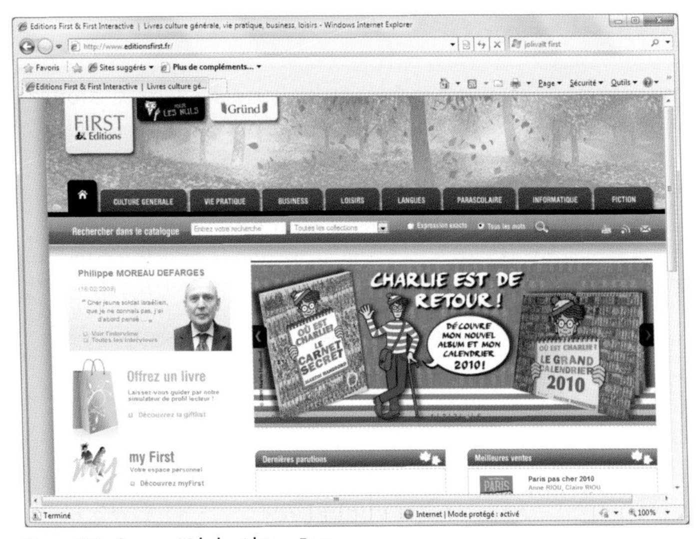

Figure 7.1 : La page Web des éditions First.

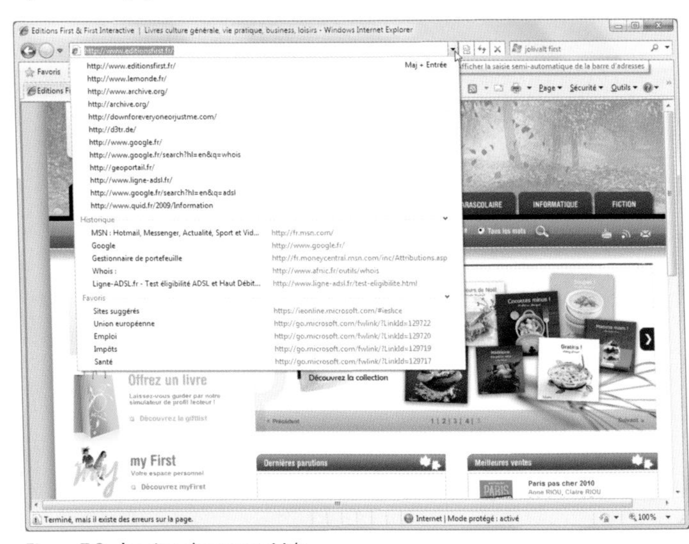

Figure 7.2 : Les sites récemment visités.

Rechercher sur le Web

1. Ouvrez Internet Explorer puis dans la liste déroulante à droite de la Barre d'outils sélectionnez Live Search, il se peut qu'un autre moteur, par exemple Google soit sélectionné par défaut.
2. Entrez un terme de recherche dans le champ, puis cliquez sur Rechercher. Les résultats sont fournis par Bing, le nouveau moteur développé par Microsoft.
3. Cliquez sur l'un des liens qui sont ensuite affichés (Figure 7.3) pour aller à la page Web. Faites éventuellement défiler la page afin d'examiner tous les résultats.
4. Cliquez sur l'un des onglets en haut de la page pour voir d'autres types de résultats (Images, Vidéos, Actualités, Cartes…) de la recherche.
5. Cliquez sur le lien Préférences, à la première ligne des résultats, afin de paramétrer Bing. Configurez les options suivantes :
   - **Recherche sécurisée** : Cette option permet de filtrer les résultats selon trois niveaux : Strict, Modéré et Désactivé.
   - **Emplacement** : Indiquez l'endroit où vous résidez afin que les résultats retournés soient pertinents pour ce lieu.
   - **Langue d'affichage** : Sélectionnez la langue dans laquelle l'interface de Bing doit être affichée.
   - **Résultats** : Sélectionnez ici la quantité de résultats à afficher simultanément, et si chaque résultat sur lequel vous cliquez doit être ouvert dans une fenêtre séparée.
   - **Langue de recherche** : Vous pouvez filtrer les résultats afin que seuls ceux rédigés dans la ou les langues sélectionnées figurent dans la liste.
6. Cliquez sur le bouton Enregistrer les paramètres.

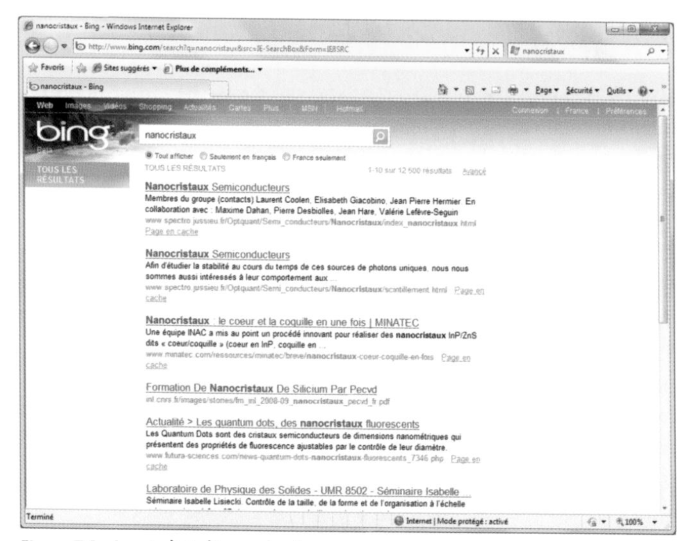

Figure 7.3 : Les résultats d'une recherche.

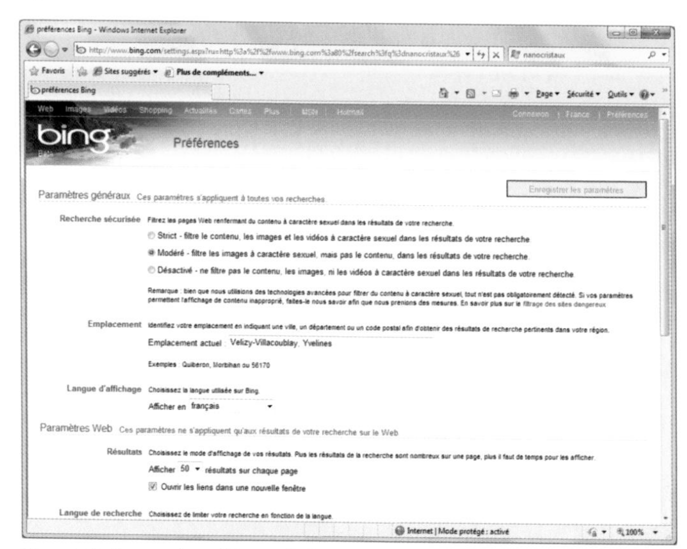

Figure 7.4 : La page des préférences de Bing.

Trouver des termes dans une page Web

1. Une page Web affichée dans Internet Explorer, cliquez sur le bouton fléché à droite du champ de recherche et, dans le menu, sélectionnez Rechercher dans cette page (Figure 7.5).
2. Dans la zone de recherche qui s'affiche en haut de la page, tapez le mot à rechercher. Affinez la recherche en cliquant sur le bouton Options et en sélectionnant dans la liste l'une de ces options :
   - **Mot entier seulement** : Evite de trouver *tableau* ou *entablement* lors d'une recherche sur *table*.
   - **Respecter la casse** : Respecte strictement les majuscules et minuscules. Utile pour ne rechercher que *Suisse* (un ressortissant de ce pays) mais pas l'adjectif *suisse* (une montre suisse).
3. Toutes les occurrences – leur nombre est mentionné à côté du bouton Option – sont surlignées en jaune (Figure 7.6). Ciquer sur le bouton Suivant met une occurrence du terme en bleu. Cliquez de nouveau sur Suivant pour parcourir les occurrences, ou sur Précédent pour revenir en arrière.
4. La recherche terminée, cliquez sur le bouton Fermer, à gauche dans la barre de recherches.

Beaucoup de sites Web, comme Amazon.fr, sont dotés d'une fonction de recherche sur la totalité du site, et pas uniquement sur la page affichée. Assurez-vous cependant que la recherche soit limitée au site, et non à l'Internet tout entier.

Figure 7.5 : La fonction de recherche sur la page.

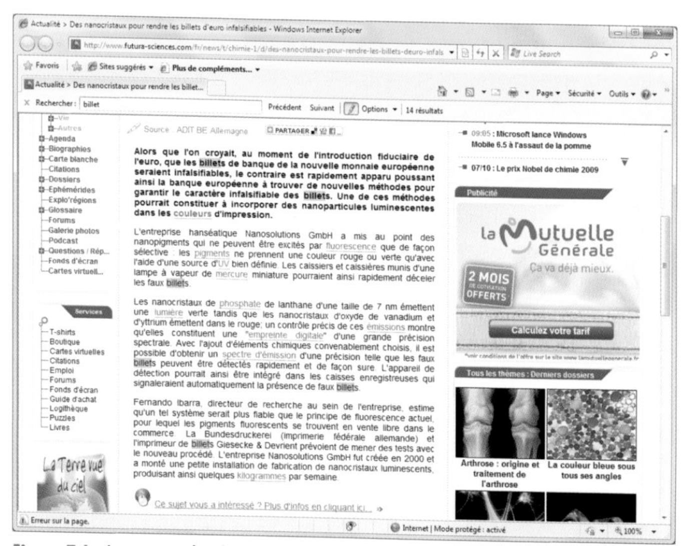

Figure 7.6 : Le terme recherché est surligné partout dans la page.

Définir la page de démarrage

1. Dans Internet Explorer, choisissez Outils/Options Internet
2. Dans la boîte de dialogue Options Internet, sous l'onglet Général, tapez l'adresse du site Web à utiliser comme page d'accueil (voir Figure 7.7). Notez que vous pouvez définir plusieurs pages d'accueil qui s'ouvriront chacune dans un onglet à chaque démarrage d'Internet Explorer (Figure 7.8).

   Ou alors choisissez l'une des options suivantes, à la rubrique Page d'accueil :

   - **Page actuelle :** Utilise comme page d'accueil la page actuellement affichée.
   - **Par défaut :** Utilise la page Web du site msn.fr de Microsoft.
   - **Page vierge :** Si vous êtes tenté par le minimalisme, cette option vous plaira : pas de site, rien qu'une page vide.
3. Cliquez sur OK.
4. Cliquez sur l'icône Accueil pour aller à votre page Web.

Vous pouvez définir plusieurs pages de démarrage qui s'ouvriront chacune dans un onglet après avoir cliqué sur le bouton Accueil. Cliquez sur la flèche de l'icône Accueil et choisissez Ajouter ou modifier une page de démarrage. Dans la boîte de dialogue qui apparaît, sélectionnez l'option Ajouter cette page Web aux onglets de page de démarrage, puis cliquez sur OK. Affichez d'autres sites et répétez cette procédure pour tous ceux à utiliser comme page d'accueil.

Pour supprimer une page d'accueil, cliquez sur la flèche du bouton Accueil et choisissez Supprimer/*page à supprimer* ou Supprimer/Supprimer tout.

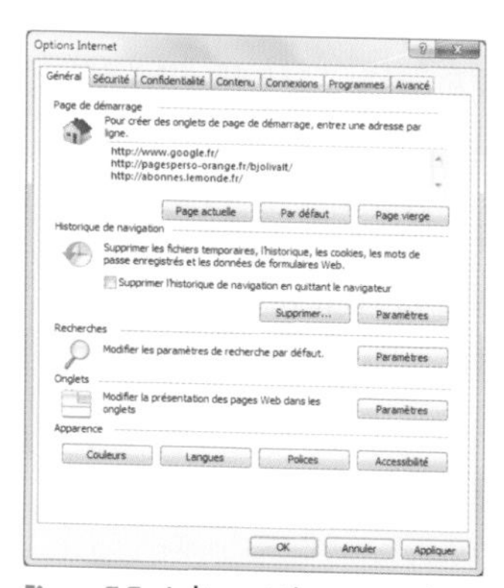

Figure 7.7 : Indiquez ici les pages Web à ouvrir au démarrage d'Internet Explorer.

Figure 7.8 : Trois pages de démarrage ont été définies.

Mettre un site Web parmi les favoris

1. Lorsque vous consultez souvent la même page il est pratique de l'ajouter aux favoris afin d'y accéder rapidement. Pour ajouter un favori, tapez la combinaison de touches Ctrl+D.

   La boîte de dialogue Ajouter un favori apparaît (Figure 7.9).

2. (Facultatif) Remplacez ce qui figure dans le champ Nom (une adresse Web ou un titre mal choisi) par un nom plus explicite.

3. Cliquez sur le bouton Ajouter.

   Le favori est ajouté à la liste.

Une autre option, pour ajouter un favori, est de cliquer sur le bouton Favori, en haut à gauche d'Internet Explorer, puis de cliquer sur Ajouter aux Favoris (Figure 7.10). La même boîte de dialogue qu'à l'Étape 2 apparaît.

Faire régulièrement le ménage parmi les favoris est une bonne idée. Débarrassez-vous des sites dont vous n'avez plus que faire. Pour ce faire, cliquez du bouton droit sur un favoris, dans la liste visible à la Figure 7.10, et choisissez Supprimer.

La liste des favoris peut être transformée en volet affiché en permanence à gauche d'Internet Explorer. Pour cela, cliquez sur le bouton Épingler le Centre des favoris (il se trouve en haut à droite du panneau des favoris).

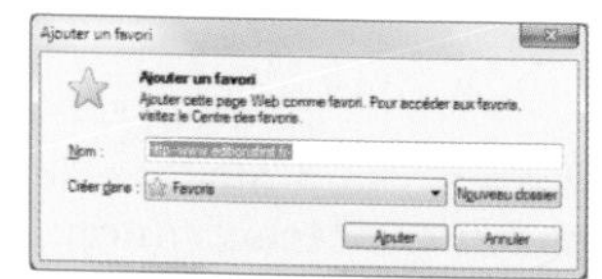

Figure 7.9 : Création d'un favori vers une page Web.

Figure 7.10 : Ajout d'un favori par le menu.

Organiser les favoris

1. Dans Internet Explorer, cliquez sur le bouton Favoris afin d'ouvrir le volet où ils se trouvent. Cliquez sur la flèche à droite du bouton Ajouter aux Favoris, puis sélectionnez l'option Organiser les Favoris (Figure 7.11).

2. Dans la boîte de dialogue vous trouverez les boutons pour créer un nouveau dossier ou sous-dossier, déplacer un dossier (vous pouvez aussi le faire glisser verticalement directement dans la fenêtre, renommer ou supprimer un dossier.

4. Après avoir organisé les dossiers, cliquez sur le bouton Fermer

Pour développer ou rétracter un dossier et voir les favoris qu'il contient (puis les déplacer ou les supprimer), cliquez sur le dossier.

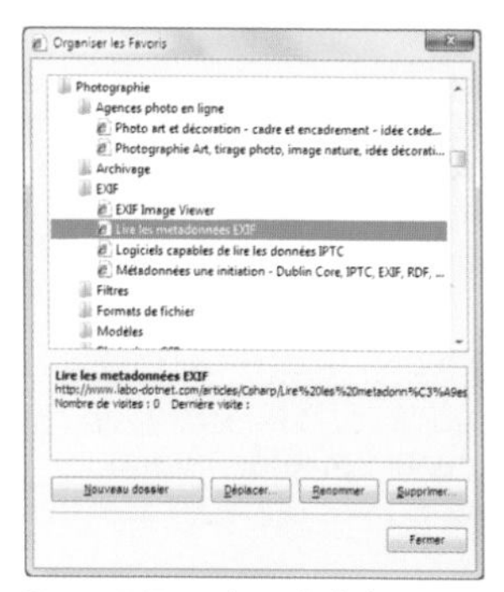

Figure 7.11 : La boîte de dialogue Organiser les favoris.

La gestion des favoris telle que nous venons de l'expliquer est très commode, mais vous pouvez aussi les organiser directement dans liste principale des favoris. Cliquez sur l'un d'eux et choisissez une commande comme Créer un nouveau dossier, Renommer ou Supprimer.

Si vous avez créé un nouveau dossier ou sous-dossier, vous pourrez y placer des favoris en les faisant glisser de l'endroit où ils se trouvent jusque dans le nouveau dossier.

Activer la suggestion de sites

1. Pour que Internet Explorer suggère des sites qui pourraient vous plaire, d'après celui qui est actuellement affiché, cliquez sur Outils/Sites suggérés. Une coche apparaît à gauche de l'option (Figure 7.12). Quand vous activez cette fonctionnalité, un message vous demande si vous désirez activer la suggestion de sites Web basée sur l'historique de votre navigation.
2. Cliquez sur le bouton Sites suggérés, dans la barre de menus. Une liste de sites apparentés ou en relation avec celui est affiché est proposées (Figure7-13).
3. Cliquez sur un site, dans la liste, pour y accéder aussitôt.

Internet Explorer se base sur votre historique de navigation pour tenter de savoir ce qui peut vous intéresser. C'est pourquoi, l'affichage des suggestions peut prendre petit moment la première que vous l'activez.

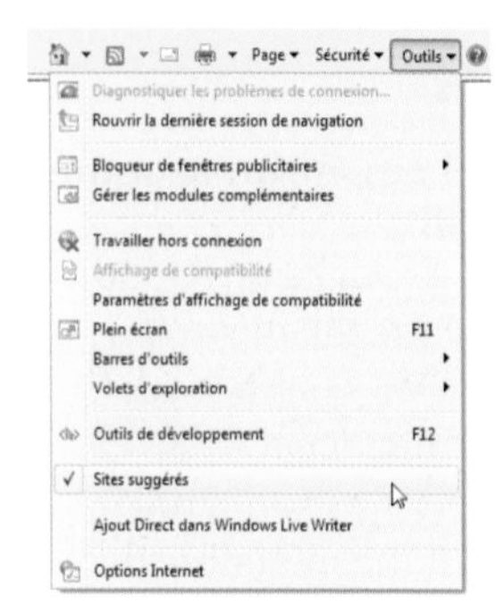

Figure 7.12 : La suggestion de sites est activée.

Figure 7.13 : Le panneau des sites suggérés.

Utiliser les onglets

1. Dans Internet Explorer, cliquez sur Nouvel onglet (le petit carré, à droite du ou des onglets ouverts).
2. Un nouvel onglet apparaît, affichant quelques informations au sujet des onglets (Figure 7.15). Entrez une adresse Internet dans la barre d'adresse. Le site s'ouvre dans l'onglet. Vous pouvez à présent cliquer sur d'autres onglets pour visiter leurs sites.
3. Cliquez sur le bouton Aperçu mosaïque – celui avec quatre carrés, à gauche des onglets – pour afficher une miniature de tous les onglets, comme à la Figure 7.15, ou cliquez sur le bouton Liste des onglets, à droite du bouton Aperçu mosaïque, pour dérouler un menu contenant les onglets.

Un *onglet* est une fenêtre supplémentaire d'Internet Explorer. Vous n'êtes pas obligé d'en créer lorsque vous allez dans un autre site. Cependant, la possibilité d'accéder rapidement à tout moment à différents sites, sans devoir recourir aux boutons Précédent et Suivant ou taper leur adresse, est extrêmement commode.

Le raccourci clavier Ctrl+T crée un nouvel onglet dans Internet Explorer. Pour fermer tous les onglets et ne conserver que celui qui est affiché, cliquez du bouton droit sur l'onglet à conserver et choisissez Fermer les autres onglets.

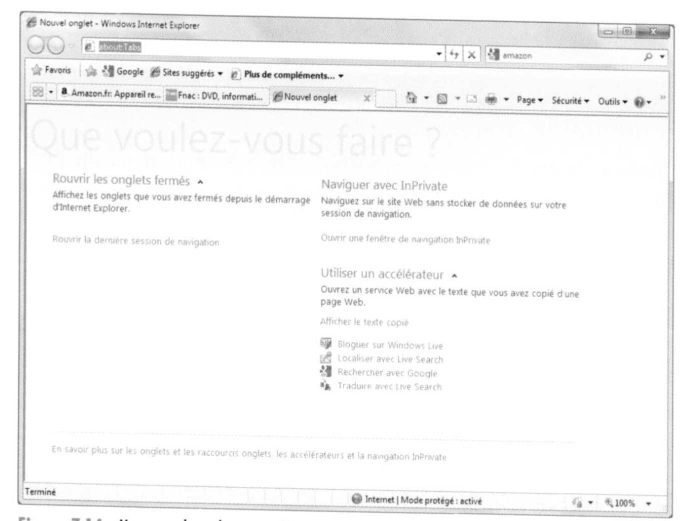

Figure 7.14 : Un nouvel onglet vient d'être créé.

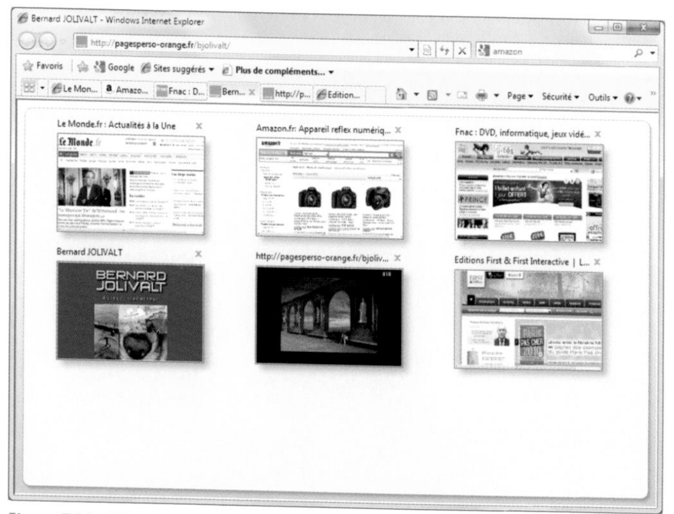

Figure 7.15 : L'Aperçu mosaïque affiche une miniature de chaque onglet.

Afficher l'historique de navigation

1. Cliquez sur l'icône Favoris, en haut à gauche d'Internet Explorer, puis sur l'onglet Historique.
2. Dans le panneau qui apparaît, cliquez sur l'onglet Historique pour afficher un écran identique à celui de la Figure 7.16.

   Cliquer sur le bouton à droite dans le bouton Afficher par date, fait apparaître plusieurs options (Figure 7.17) :

   - **Afficher par date** : C'est l'option par défaut.
   - **Afficher par site** : Affiche la liste des sites visités antérieurement.
   - **Afficher par fréquence de visite** : Affiche en liste les sites les plus souvent fréquentés.
   - **Afficher par ordre de visite du jour** : Affiche tous les site visités le jour même.
   - **Chercher dans l'historique** : Utilise un moteur de recherche qui permet de rechercher avec précision un site visité.

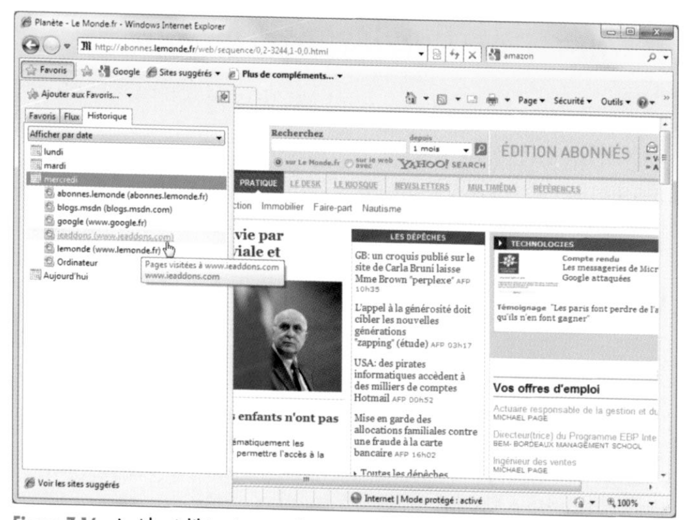

Figure 7.16 : Accédez à l'historique en cliquant sur l'icône Favoris, puis sur l'onglet Historique.

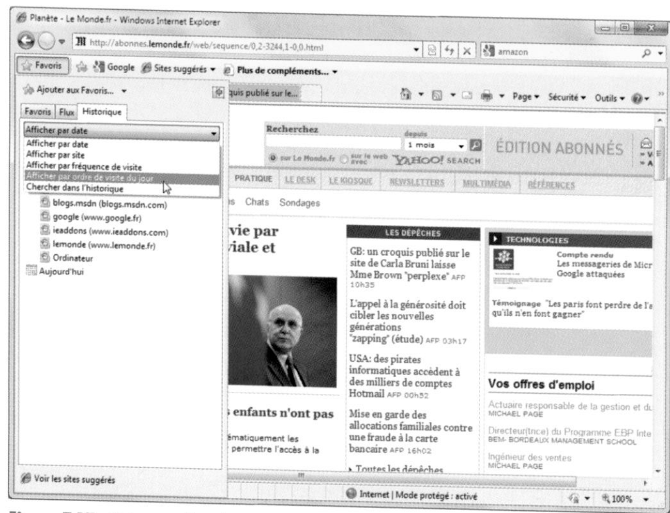

Figure 7.17 : Retournez dans les sites visités tel ou tel.

Personnaliser la barre d'outils d'Internet Explorer

1. Démarrez Internet Explorer.
2. Choisissez Outils/Barres d'outils/Personnaliser. La boîte de dialogue Personnalisation de la barre d'outils apparaît (Figure 7.18).
3. Cliquez sur une commande à gauche, puis sur le bouton Ajouter. La commande est transférée à droite.
4. Au besoin, cliquez sur une commande à droite puis cliquez sur le bouton Supprimer pour la replacer à gauche.
5. Vos choix terminés, cliquez sur le bouton Fermer pour appliquer vos changements. Si toutes les nouvelles commandes n'apparaissent pas dans la barre d'outils, cliquez sur le double chevron à droite pour dérouler un menu contenant le reliquat (Figure 7.19).

Dans la boîte de dialogue Personnalisation de la barre d'outils, les boutons Monter et Descendre permettent de placer les commandes dans l'ordre que vous désirez. Pour rétablir la présentation par défaut, cliquez sur le bouton Réinitialiser.

Pour délimiter des groupes de commandes par une barre verticale, choisissez Séparateur, puis positionnez-le à l'emplacement désiré avec les boutons Monter et descendre.

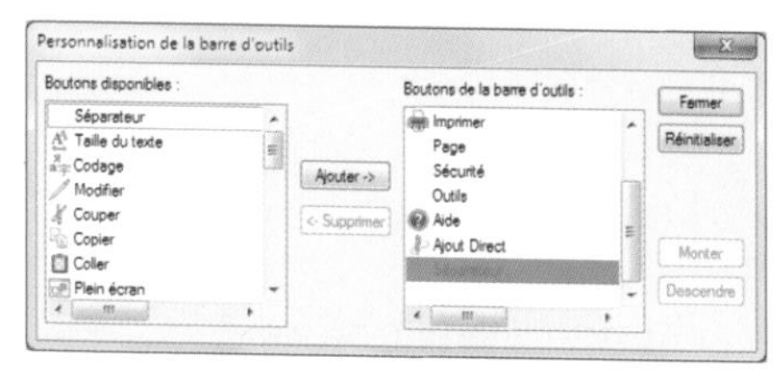

Figure 7.18 : Sélectionnez des commandes.

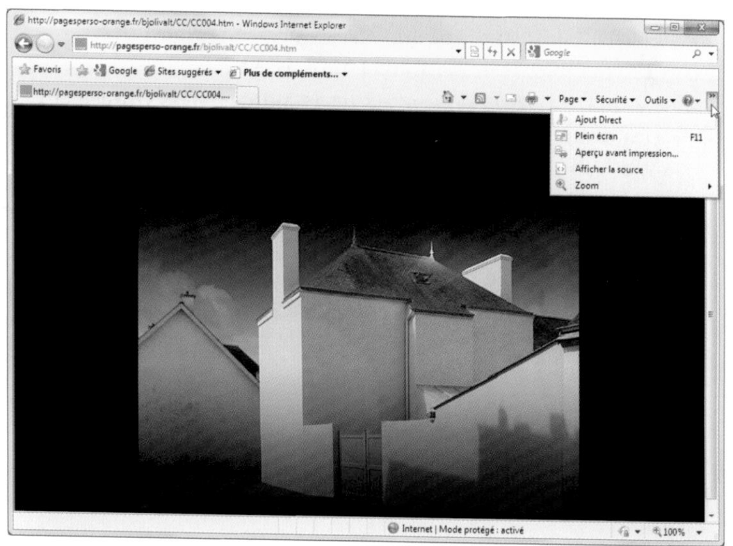

Figure 7.19 : Les commandes et outils qui ne peuvent pas être affichés sur la barre figurent dans un menu.

Télécharger des fichiers

1. Ouvrez un site Web proposant des fichiers à télécharger. Ils contiennent généralement un bouton Télécharger ou un lien qui démarre le téléchargement.
2. Cliquez sur le lien de téléchargement. Windows 7 vous demandera peut-être l'autorisation de continuer : cliquez sur OK.
3. Dans la boîte de dialogue de téléchargement (Figure 7.20), choisissez l'une de ces options :
   - **Exécuter** : Le programme est téléchargé dans un dossier temporaire et aussitôt installé. Attention toutefois : en exécutant un programme directement depuis Internet, vous risquez d'introduire de dangereux virus dans l'ordinateur. Avant leur téléchargement, les fichiers doivent impérativement être analysés par un antivirus à jour.
   - **Enregistrer** : Le fichier est enregistré dans le dossier que vous choisirez juste après avoir cliqué sur Enregistrer. Vous devrez ensuite ouvrir ce dossier puis double-cliquer sur le fichier téléchargé.

Si vous vous inquiétez pour la sécurité de l'ordinateur, lors d'un téléchargement - par exemple, si la source du fichier est inconnue, un fichier exécutable peut contenir un virus -, cliquez sur Annuler, dans la boîte de dialogue Téléchargement de fichier.

Si un fichier est particulièrement long à télécharger -plus de 20 heures par exemple -, vous devrez rester dans les parages. Si l'ordinateur se met en veille, le téléchargement sera suspendu. Si vous téléchargez une mise à jour, l'ordinateur redémarrera peut-être automatiquement, interrompant ou suspendant le téléchargement. Vérifiez de temps de temps que tout se passe bien.

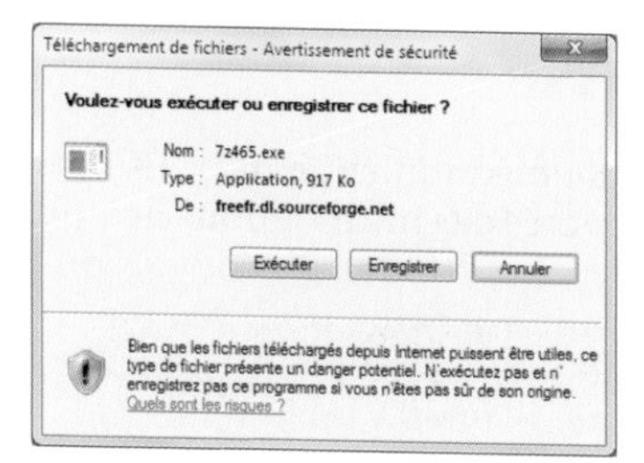

Figure 7.20 : Une boîte de dialogue de téléchargement de fichier.

Activer le filtrage InPrivate

1. Le filtrage InPrivate est une nouvelle fonctionnalité qui empêche Internet Explorer d'enregistrer des informations à propos de vos pérégrinations sur le Web, comme les cookies ou l'historique de navigation. Vous pouvez le régler pour bloquer automatiquement les sites collectant des informations sur vos habitudes de navigation, et autoriser d'autres à les obtenir. Commencez par démarrer Internet Explorer.
2. Cliquez sur le bouton Sécurité et choisissez Filtrage InPrivate. La fenêtre de la Figure 7.21 apparaît.
3. Cliquez sur le bouton Sécurité et choisissez Paramètres de filtrage InPrivate. La boîte de dialogue de la Figure 7.22 apparaît. Choisissez l'un de ces paramètres :
   - **Bloquer automatiquement** : Bloque tous les sites utilisant un contenu provenant d'autres sites que vous avez visités.
   - **Choisir le contenu à bloquer ou à autoriser** : Permet de sélectionner les sites et d'autoriser ou de refuser qu'ils collectent des informations.
4. Cliquez sur OK pour enregistrer les paramètres. Vous pourrez revenir à cette boîte de dialogue (Sécurité/Paramètres de filtrage InPrivate) pour voir si de nouveau sites ont été ajoutés à la liste.

Si vous ne voulez pas utiliser InPrivate mais néanmoins vider de temps en temps votre historique de navigation, appuyez sur Ctrl+Maj+Suppr.

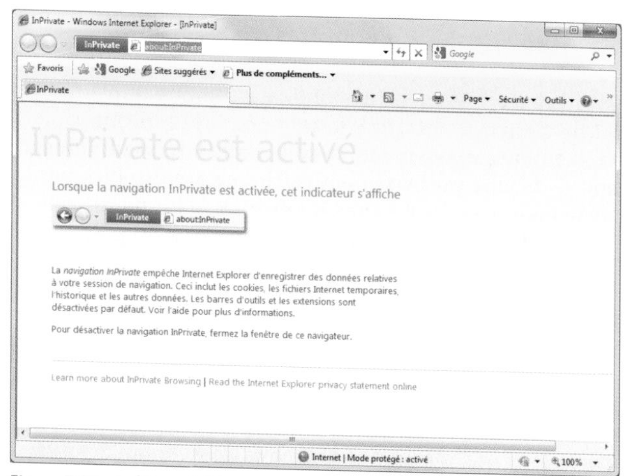

Figure 7.21 : Le filtrage InPrivate est activé.

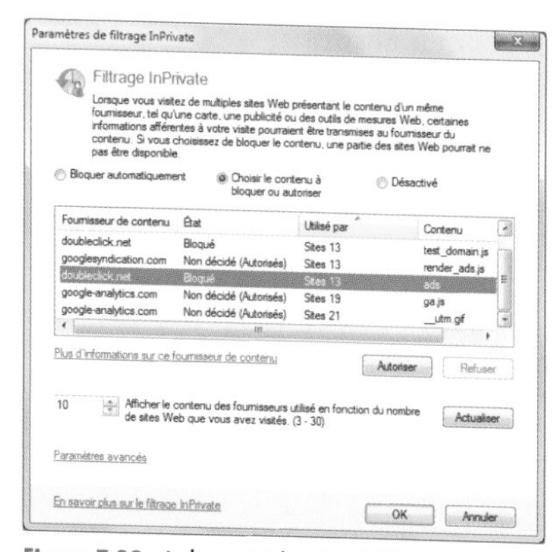

Figure 7.22 : Indiquez ici les sites à bloquer.

Utiliser le filtre SmartScreen

1. Le filtre SmartScreen permet de vérifier si un site Web n'a pas été signalé à Microsoft en tant que site pratiquant l'hameçonnage, ou introduisant des logiciels malfaisants dans votre ordinateur. Pour l'activer, cliquez sur Sécurité puis choisissez Filtre SmartScreen/Activer le filtre SmartScreen.
2. Allez sur un site Web que vous désirez vérifier. Cliquez ensuite sur Sécurité/Filtre SmartScreen/Vérifier ce site Web.
3. L'adresse du site est analysée, puis un message signale si ce site est sain (Figure 7.23) ou s'il a été signalé comme risqué. Cliquez sur OK pour fermer le message.

Quand le filtrage SmartScreen est actif, il vérifie tous les sites que vous visitez et envoie un message dès qu'il en détecte un de douteux. La base de données recensant les sites pourris n'est cependant mise à jour que périodiquement. Si vous avez des doutes sur un site, abstenez-vous d'y aller.

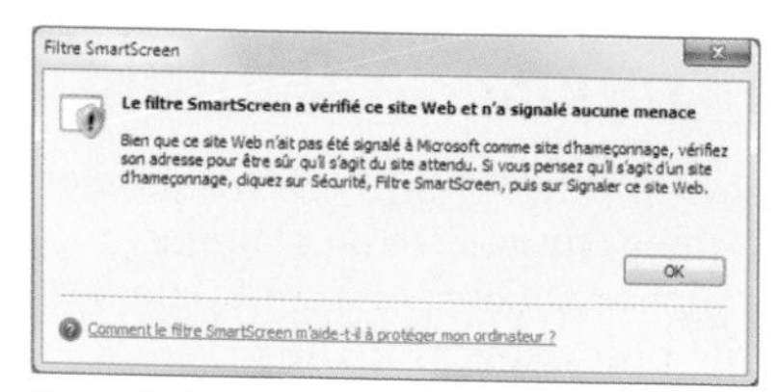

Figure 7.23 : La page Web a été vérifiée.

Modifier les paramètres de confidentialité

1. Dans Internet Explorer, choisissez Outils/Options Internet, puis cliquez sur l'onglet Confidentialité (Figure 7.24).
2. Cliquez sur le curseur, puis montez-le ou descendez-le selon le niveau de sécurité désiré.
3. Lisez attentivement les commentaires. Choisissez le niveau sécurité qui vous convient.
4. Cliquez sur le bouton Sites afin de spécifier les sites pour lesquels vous autorisez ou refusez l'usage de cookies. Dans la boîte de dialogue qui apparaît, Action de confidentialité par site (Figure 7.25), entrez l'adresse des sites dans le champ Adresse du site Web, puis cliquez sur Refuser ou Autoriser.
5. Cliquez deux fois sur OK afin d'enregistrer les nouveaux paramètres.

Le paramètre par défaut, Moyen, est sans doute le plus approprié pour la plupart des utilisateurs. Pour rétablir les paramètres d'origine, cliquez sur le bouton Par défaut, sous l'onglet Confidentialité des options Internet, ou remettez le curseur sur Moyen.

Sous l'onglet Confidentialité, vous pouvez aussi établir la liste des sites pour lesquels vous autorisez ou bloquez les fenêtres publicitaires intempestives. Cliquez sur le bouton Paramètres, puis cliquez sur Autoriser pour accepter les fenêtres surgissantes.

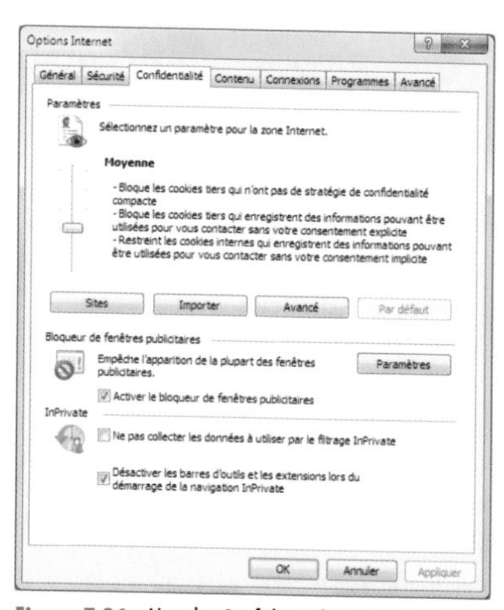

Figure 7.24 : L'onglet Confidentialité, dans les Options Internet.

Figure 7.25 : Autorisez ou refusez les cookies des sites mentionnés.

Activer le Gestionnaire d'accès

1. Dans Internet Explorer, choisissez Outils/Options Internet.
2. Cliquez sur l'onglet Contenu.
3. Cliquez sur le bouton Activer. (Remarque : Si le bouton Activer est remplacé par des boutons Désactiver et Paramètres, cela signifie que le Gestionnaire d'accès est déjà actif. Cliquez sur le bouton Paramètres pour accéder aux options et les modifier éventuellement.)
4. Sous l'onglet Contrôle d'accès (Figure 7.26), cliquez sur l'une des catégories, comme Contenu à caractère sexuel ou Représentation de consommation de tabac, puis réglez la glissière sur Aucun, Limité, Partiel ou Non restreint.
5. Répétez l'Etape 4 pour chaque catégorie.
6. Cliquez sur l'onglet Sites autorisés (Figure 7.27) et entrez le nom d'un site dont vous désirez contrôler l'accès. Cliquez ensuite sur Toujours ou sur Jamais.
   - **Toujours** autorise l'utilisateur à visiter le site, même s'il est filtré par le Gestionnaire d'accès.
   - **Jamais** interdit à l'utilisateur de visiter le site, même s'il est autorisé par le Gestionnaire d'accès.
7. Cliquez ensuite deux fois sur OK pour enregistrer les paramètres.

Il est possible de configurer des sites que vous pourrez visiter, mais pas d'autres personnes. Sous l'onglet Général du Gestionnaire d'accès, cochez la case Le superviseur peut entrer un mot de passe pour permettre aux utilisateurs de visualiser le contenu de pages à accès limité. Cliquez ensuite sur Créer un mot de passe. Dans la boîte de dialogue qui apparaît, entrez un mot de passe, confirmez-le, indiquez un pense-bête, puis cliquez sur OK. Toute session ouverte comme Administrateur accède, grâce au mot de passe, à n'importe quel site restreint.

Figure 7.26 : Choisissez le niveau de contenu discutable toléré.

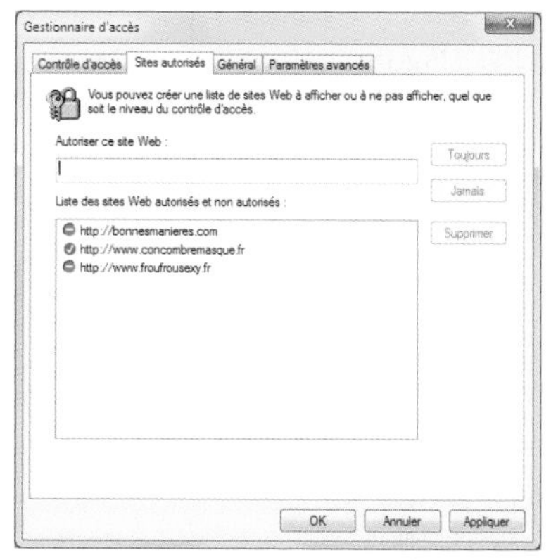

Figure 7.27 : Des sites approuvés ou refusés par le Gestionnaire d'accès.

Voir les flux RSS

1. Cliquez sur le bouton Favoris, puis sur l'onglet Flux pour afficher la liste des flux RSS les plus récents (voir Figure 7.28).
2. Cliquez sur un flux pour l'afficher (Figure 7.29).
3. Vous pouvez aussi cliquer sur le bouton Voir les flux sur cette page, sur la barre d'outils, pour accéder aux flux actifs répertoriés sur la page actuellement affichée.

Le bouton Voir les flux sur cette page est en grisé lorsque la page courante est dépourvue de flux RSS. Il devient rouge lorsqu'il existe des flux RSS.

Bien qu'Internet Explorer intègre un lecteur de flux RSS, rien ne vous empêche d'en utiliser d'autres. Tapez « flux RSS », dans le champ Rechercher d'Internet Explorer, pour en apprendre plus sur les RSS et ses lecteurs de flux.

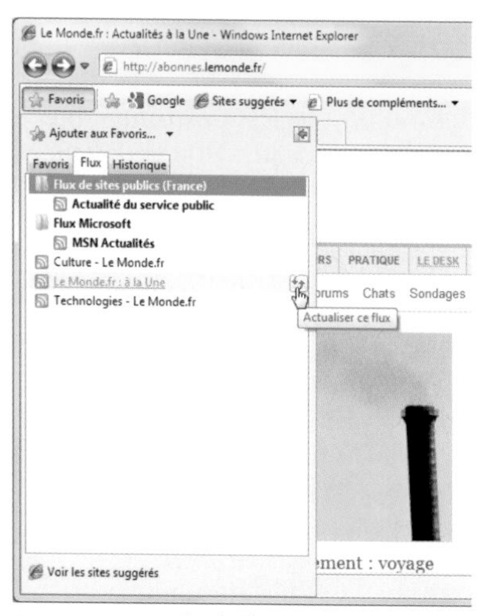

Figure 7.28 : Le volet des flux RSS.

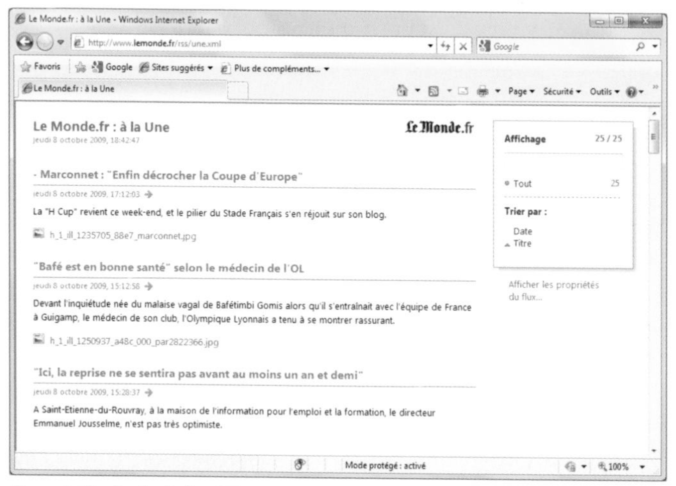

Figure 7.29 : Un site de flux RSS.

Imprimer une page Web

1. Si la page Web comporte un lien ou un bouton pour imprimer ou afficher une version imprimable de la page, cliquez dessus et suivez les instructions.
2. Si la page ne propose aucun lien pour l'impression, cliquez sur le bouton Imprimer dans la barre d'outils d'Internet Explorer.
3. Dans la boîte de dialogue Imprimer, définissez la quantité d'informations à imprimer, puis sélectionnez l'une des options de la rubrique Etendue de pages (Figure 7.30).

Notez que choisir Page actuelle ou entrer des numéros de pages dans le champ Pages n'a guère de sens lorsque vous imprimez des pages Web. L'ensemble de la page risque d'être imprimé, car une page Web n'est pas divisée en feuilles.

4. Indiquez éventuellement la quantité d'exemplaires à imprimer dans le champ Nombre de copies, et cochez la case Copies assemblées, si l'imprimante sait le faire.
5. Cliquez sur Imprimer.

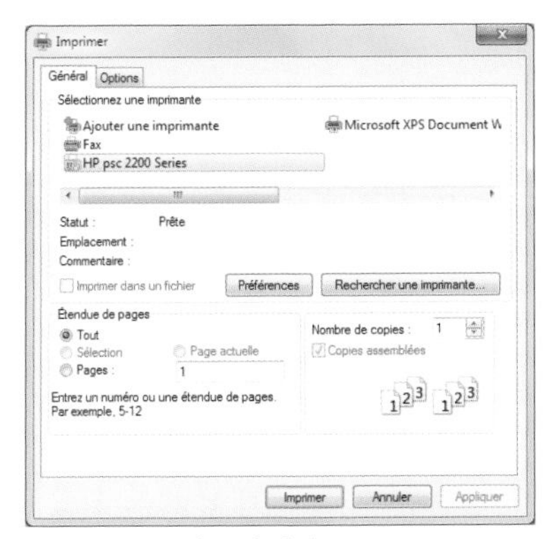

Figure 7.30 : La boîte de dialogue Imprimer.

Chapitre 8

Échanger du courrier avec Windows Live Mail

Il fut un temps où les gens discutaient à la machine à café ou à la photocopieuse, mais cette époque est révolue. Maintenant, c'est en ligne que les gens causent.

Bien que le téléphone mobile emporte la palme du bavardage, la messagerie en ligne n'est pas en reste. Peut-être avez-vous déjà envoyé du courrier électronique, ce qui n'empêche pas Windows Live Mail, programme de messagerie de Windows 7, d'être nouveau pour vous. Vous pouvez télécharger Windows Live Mail à l'adresse suivante : www.download.live.com. Là, dans la liste Programmes téléchargeables, cliquez sur Mail. Ensuite, cliquez sur le bouton Télécharger. Exécutez le fichier téléchargé pour procéder à l'installation. Dans la boîte de dialogue du choix des programmes à installer, cochez Mail. Les autres options sont facultatives.

Ce chapitre vous apprend comment :

- **Recevoir, envoyer et transférer des messages.** Vous découvrirez les outils de mise en forme qui rendront vos courriers plus attractifs et plus lisibles.
- **Entrer des données dans Contacts Windows.** Vous saurez gérer vos contacts vite et bien et classer les messages dans des dossiers.
- **Configurer la présentation de Windows Mail.** Modifiez la disposition des fenêtres pour travailler plus efficacement.
- **Gérer votre compte de messagerie.** Configurez un compte puis créez-le, modifiez-le et définissez des règles

Ouvrir Windows Live Mail et recevoir du courrier

1. Avec votre navigateur web, rendez-vous sur la page Windows Live (www.windowslive.com).
2. Windows ouvrez votre navigateur par défaut et affiche la page d'accueil de Windows Live comme à la Figure 8.1. Cliquez sur le bouton Inscrivez-vous pour lancer la procédure gratuite d'inscription si vous ne possédez pas déjà un compte de messagerie sur Windows Live.
3. Pour vous connecter une fois votre compte créé, cliquez sur le bouton Se connecter. Tapez votre identifiant (adresse de messagerie Live) et votre mot de passe. Cliquez sur le bouton Connexion.
4. En haut de la fenêtre, cliquez sur le lien E-mail. Vous accédez à la Boîte de réception de votre compte Windows Live Mail (Figure 8.2). Elle contient un message automatiquement envoyé par l'équipe Windows Live. Cliquez dessus pour en afficher le contenu.

Pour organiser des messages dans la Boîte de réception, cliquez sur le bouton Trier par. Choisissez Date, De (pour un tri alphabétique), Objet, Taille, *etc.*

Si vous ne recevez pas vos mails cela tient probablement à une défaillance temporaire de votre FAI (fournisseur d'accès à Internet). Patientez ! Si le problème persiste, contactez votre FAI.

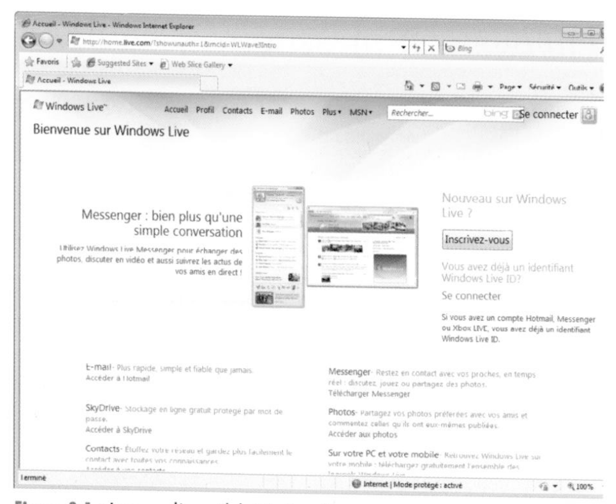

Figure 8.1 : La page d'accueil de Windows Live.

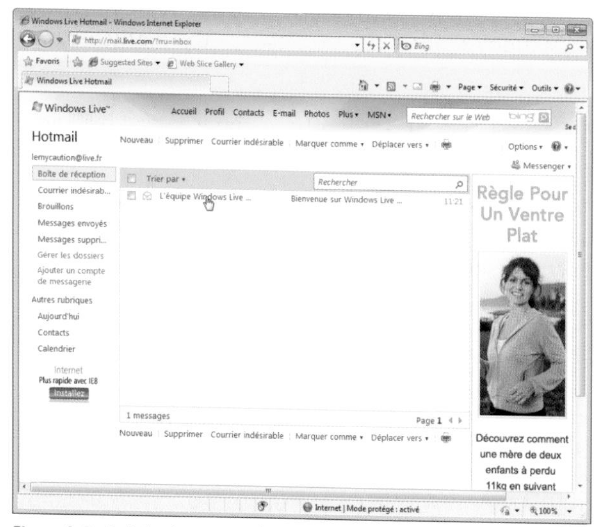

Figure 8.2 : La Boîte de réception de Windows Live Mail.

Écrire et envoyer un message

1. Accédez à la page d'accueil de Windows Live (www.windowslive.com).
2. Connectez-vous à votre compte, et cliquez sur le lien E-mail pour afficher votre messagerie électronique.
3. Cliquez sur le bouton Nouveau pour créer un message vide (Figure 8.3).
4. Tapez l'adresse du destinataire dans le champ À. Si vous désirez mettre des adresses en copie et en copie cachée, cliquez sur le lien Champs Cc/Ci. Tapez dans le champ Cc l'adresse d'un destinataire qui recevra une copie du message.
5. Cliquez dans le champ Objet et indiquez brièvement le sujet du message.
6. Cliquez dans la fenêtre du message et tapez votre texte, comme à la Figure 8.4.

Inutile d'appuyer sur Entrée à la fin des lignes, car Windows Mail gère le retour à la ligne automatique. Évitez de taper en majuscules, car cela donne LA DESAGREABLE IMPRESSION DE CRIER.

N'envoyez jamais un message sur une impulsion négative (colère, règlement de compte...) car une fois qu'il est parti, vous n'avez plus aucun moyen de l'intercepter. La nuit portant conseil, attendez avant de répondre. Soyez concis : les internautes sont des gens pressés qui n'aiment pas les textes interminables.

7. Vérifiez l'orthographe du message en cliquant sur le bouton Orthographe. Une fois la vérification terminée, un message s'affiche au-dessus de votre mail. Elle indique si des fautes ont été trouvées. Si c'est le cas, les mots mal orthographiés sont soulignés en rouge dans le texte. Cliquez dessus et choisissez l'orthographe correcte dans le menu local qui apparaît (Figure 8.5). Si vous craignez avoir laissé des fautes, cliquez sur le lien Vérifiez à nouveau.

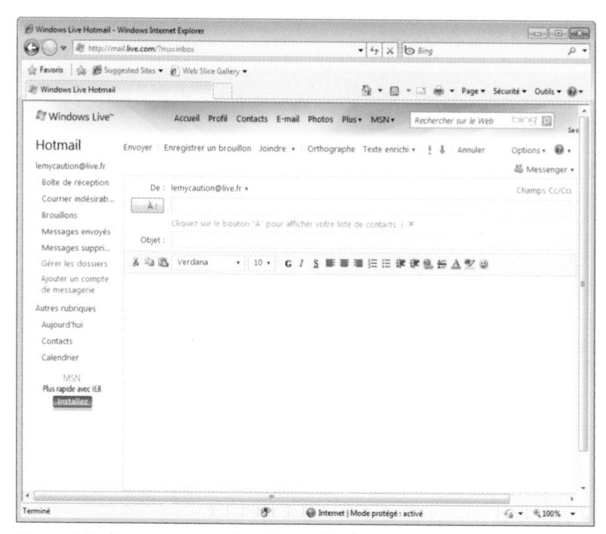

Figure 8.3 : Un message avec les adresses des destinataires.

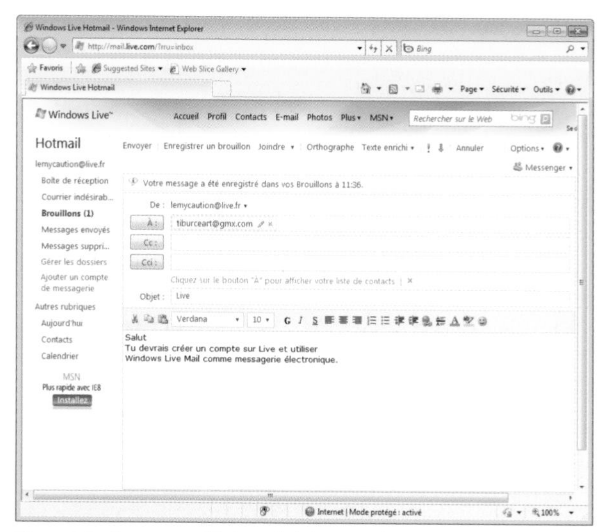

Figure 8.4 : Un message rédigé et prêt à être envoyé.

8. Cliquez sur le bouton Envoyer, et c'est parti ! Le message s'envole à travers le cyberespace. Une fenêtre indique que le message a été envoyé (Figure 8.6). Profitez de cette fenêtre pour ajouter le contact à votre carnet d'adresses.

Si le message est véritablement urgent, cliquez sur le bouton Définir la priorité (icône d'un point d'exclamation rouge) afin d'ajouter un point d'exclamation signalant l'urgence au destinataire. Cliquez de nouveau sur le bouton pour rétablir la priorité normale. Si le message n'est vraiment pas fondamental, cliquez sur le bouton Importance faible (icône d'une flèche dirigée vers le bas).

Un message peut être préadressé à un correspondant figurant dans les Contacts Windows. Cliquez sur le bouton À pour l'afficher, puis sélectionnez un ou plusieurs contacts en cochant leur case. Windows Mail permet aussi de commencer à taper le nom d'un contact dans un champ d'adresse (À ou Cc) ; il se charge alors de taper le reste ou propose une liste de noms. Choisissez-en un et appuyez sur Entrée pour le valider.

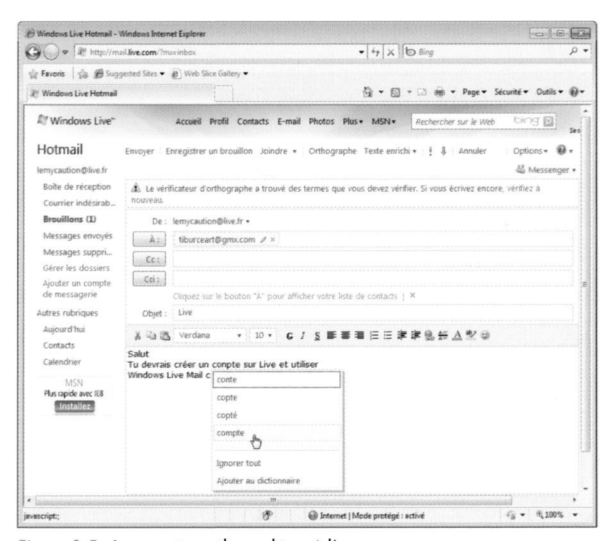

Figure 8.5 : La correction orthographique à l'œuvre.

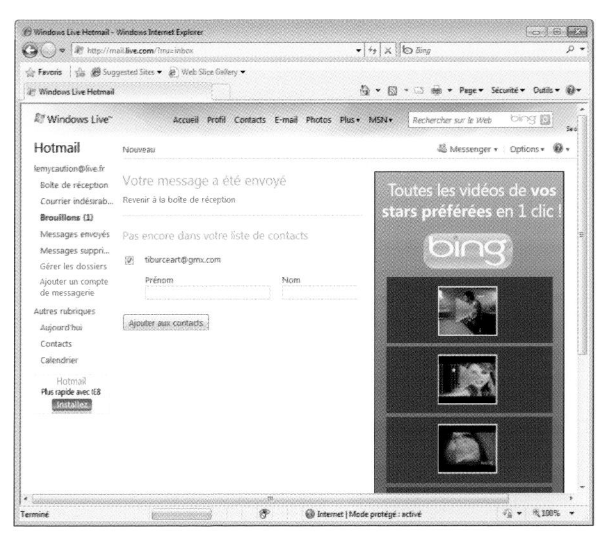

Figure 8.6 : Le message est envoyé.

Envoyer une pièce jointe

1. Accédez à la page d'accueil de Windows Live (www.windowslive.com). Connectez-vous à votre compte, et cliquez sur le lien E-mail pour afficher votre messagerie électronique. Cliquez sur Nouveau pour créer un mail vide. Indiquez l'adresse de destination, et l'objet du message.
2. Cliquez sur le bouton Joindre.
3. Dans le menu local qui apparaît, choisissez le type de document à joindre, c'est-à-dire des fichiers ou des photos. La boîte de dialogue Choisir un fichier à télécharger apparaît comme à la Figure 8.7. Localisez le fichier, et cliquez sur Ouvrir.
4. Le nom du fichier joint apparaît sous l'objet (Figure 8.8) ainsi que sa taille. Vous pouvez ajouter autant de pièces que vous le désirez dans la limite de 10 Mo. Tapez le message.
5. Cliquez sur le bouton Envoyer.

Vous pouvez joindre de nombreux fichiers à un courriel. La seule limite concerne le poids total de votre envoi. Avec Windows Live Mail, vous ne pouvez pas dépasser les 10 Mo de pièces jointes par envoi.

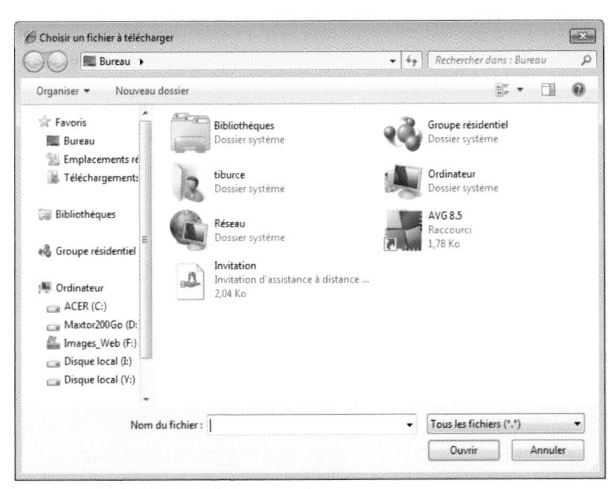

Figure 8.7 : Sélection d'un fichier à joindre.

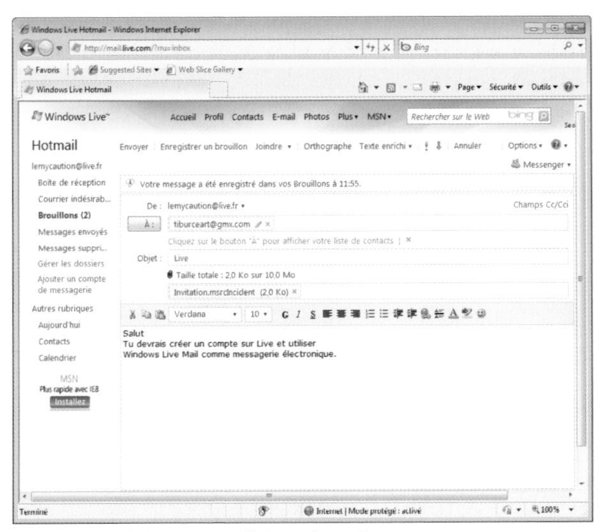

Figure 8.8 : Le fichier joint est affiché au-dessus du message.

Lire un message

1. Cliquez sur un message, dans la Boîte de réception, pour le lire dans la fenêtre de visualisation. Les messages non lus sont signalés par une enveloppe close, à leur gauche.
2. Si le message est long, actionnez au besoin les barres de défilement.
3. Si le message comporte une pièce jointe, elle est signalée par un trombone, dans la boîte de réception. Cliquez sur la pièce jointe pour l'ouvrir. Vous devrez probablement cliquer sur le lien Afficher le contenu et Autoriser. Par mesure de sécurité, Windows Live Mail n'autorise pas les pièces jointes venant de personnes que vous n'avez pas encore autorisées dans votre messagerie.
4. Dans la boîte de dialogue Pièce jointe au courrier (Figure 8.10), cliquez sur Ouvrir (ou Rechercher quand Windows 7 ne connaît pas le programme capable d'ouvrir le fichier). La pièce jointe apparaît dans le programme auquel elle est associée, comme WordPad pour un fichier RTF ou la Galerie de photos Windows pour une image.

Si vous désirez enregistrer la pièce jointe, cliquez dessus du bouton droit et choisissez Enregistrer sous. Sélectionnez le dossier de destination puis cliquez sur Enregistrer.

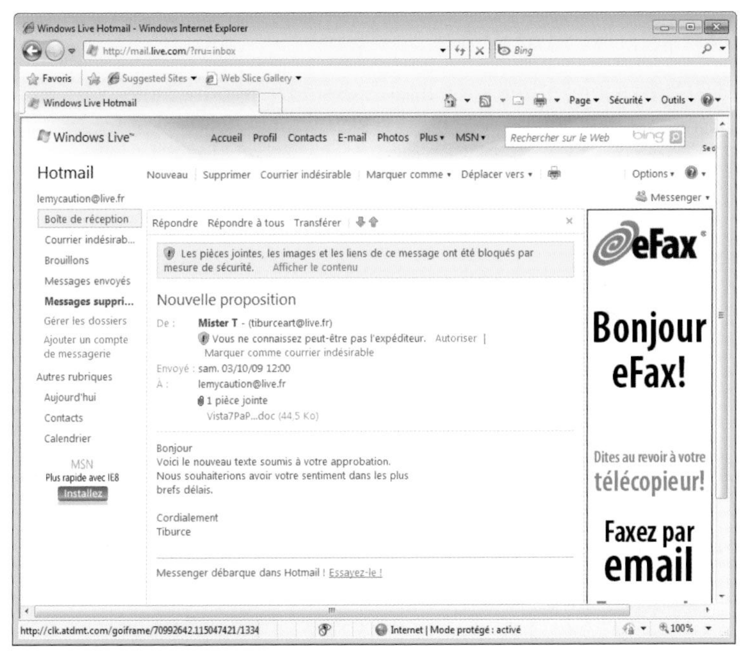

Figure 8.9 : Lecture d'un message.

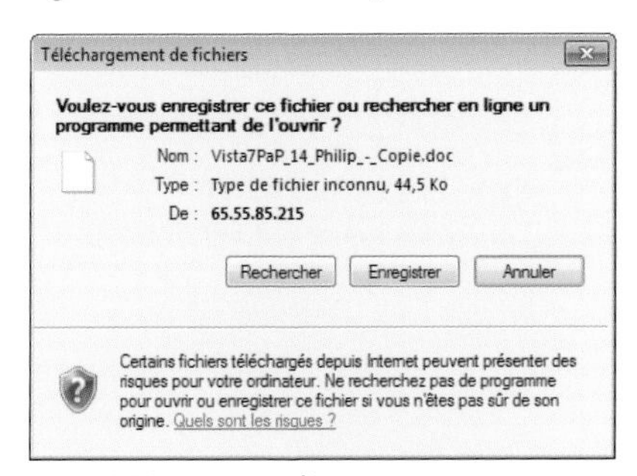

Figure 8.10 : Ouverture d'une pièce jointe.

Répondre à un message

1. Ouvrez le message auquel vous désirez répondre, puis sélectionnez l'une des options visibles à la Figure 8.11 :
   - **Répondre** : La réponse n'est envoyée qu'à l'expéditeur.
   - **Répondre à tous** : La réponse est envoyée à l'expéditeur ainsi qu'à tous les destinataires de son message.
2. Dans le champ À et/ou Cc, entrez les adresses de tous ceux auxquels vous désirez envoyer la réponse. Tapez votre texte dans la fenêtre de message.
3. Cliquez sur le bouton Envoyer.

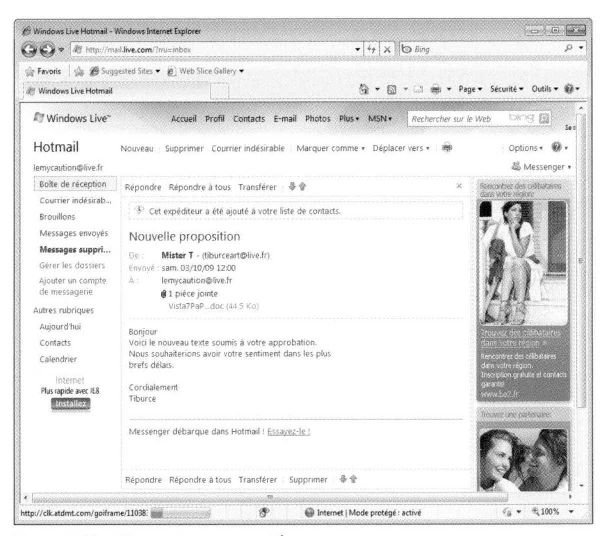

Figure 8.11 : Réponse à ou aux expéditeurs.

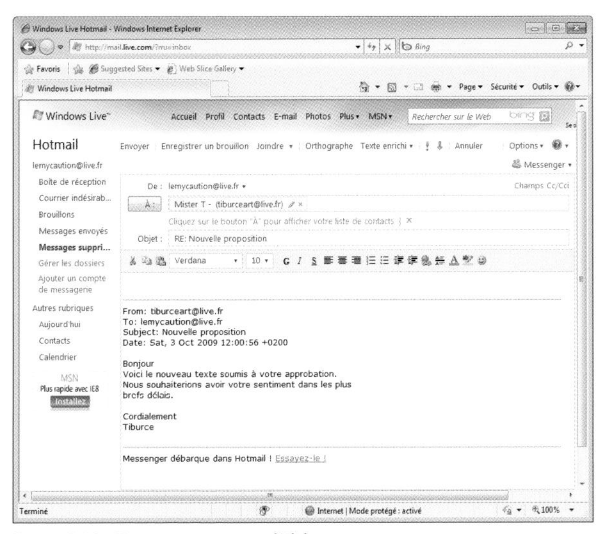

Figure 8.12 : Une réponse en cours d'élaboration.

Transférer un message

1. Ouvrez le message à transférer.
2. Dans la barre d'outils, cliquez sur le bouton Transférer.
3. Dans la fenêtre qui s'ouvre, l'objet du message est précédé de Fw : (abréviation de *Forward*). Entrez l'adresse du destinataire dans le champ À, et éventuellement Cc, comme à la Figure 8.13.

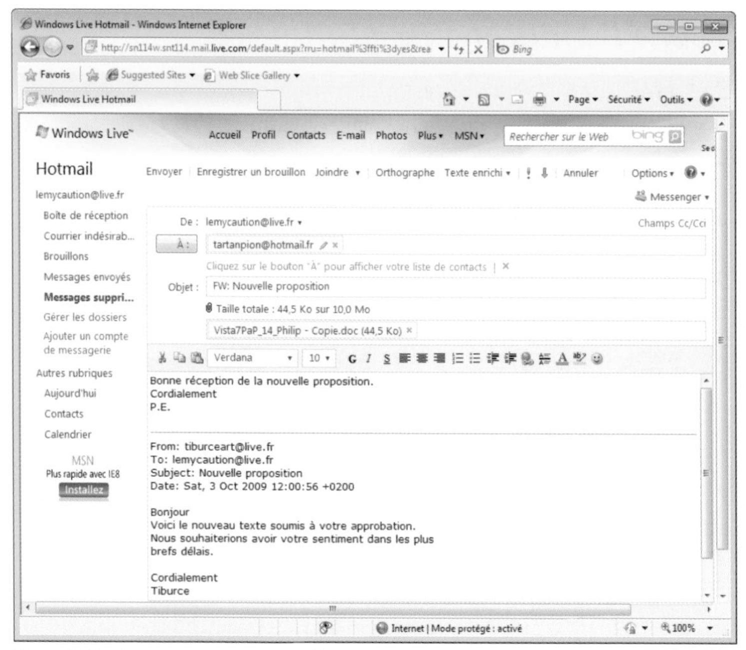

Figure 8.13 : Un message prêt à être transféré.

Créer et ajouter une signature

1. Choisissez Options/Autres options puis cliquez sur le lien Signature électronique personnelle (Figure 8.14).
2. Dans la page Signature électronique personnelle (Figure 8.15), tapez votre signature. Utilisez les outils de la barre d'outils pour modifier votre texte. Par exemple, changez la police et sa taille, et/ou appliquez des enrichissements comme le gras, l'italique…
3. Cliquez sur le bouton Enregistrer pour sauvegarder la signature.

Si vous disposez d'un site web et que vous désirez inclure, dans votre signature, le lien vers sa page d'accueil, cliquez sur le bouton Insérer un lien hypertexte (icône d'un globe terrestre avec une chaîne). Dans la boîte de dialogue Adresse qui apparaît, tapez l'URL de votre site.

Si vous insérez une signature à tous vos courriers, quiconque communiquant avec vous obtiendra les informations qui s'y trouvent. Par prudence, évitez d'exposer votre adresse postale, numéro de téléphone et autres données personnelles au vu et au su de tout le monde.

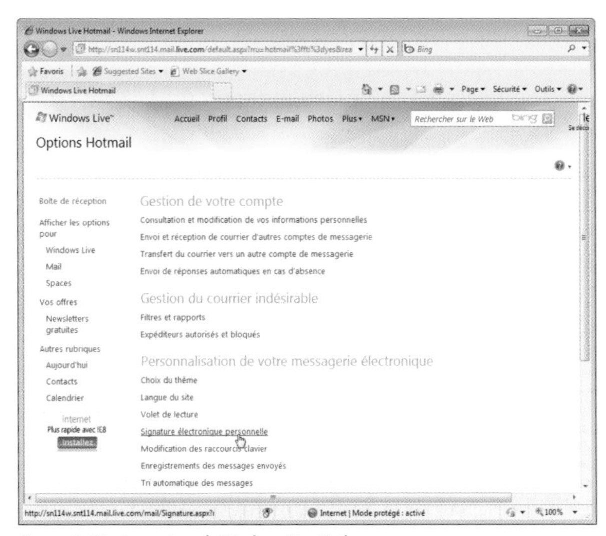

Figure 8.14 : Les options de Windows Live Mail.

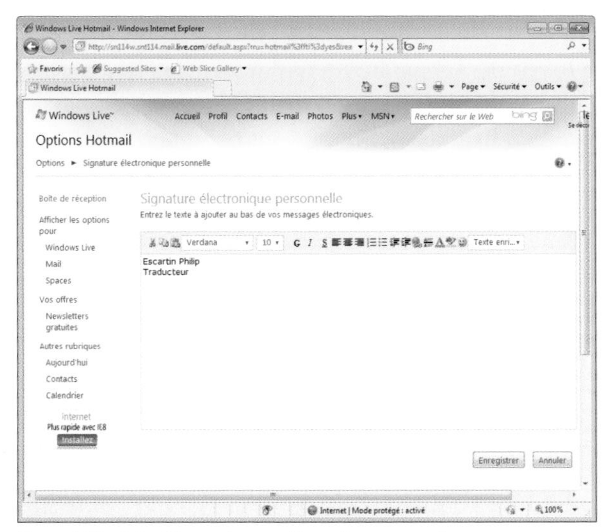

Figure 8.15 : Créez ici votre signature électronique personnelle.

Mettre un message en forme

1. Créez un nouveau message, ou alors ouvrez un message et cliquez sur Répondre, Répondre à tous, ou Transférer.
2. Sélectionnez le texte à mettre en forme (Figure 8.16).
3. Utilisez les options suivantes, situées dans la barre d'outils de la fenêtre du message (voir Figure 8.17), pour modifier la présentation :
   - **Police** : déroulez la liste pour sélectionner une autre typographie.
   - **Taille de police** : déroulez la liste pour changer la taille des caractères.
   - **Gras, Italique, Souligné** : appliquez ces enrichissements au texte sélectionné.
   - **Aligner à gauche, Centrer, Aligner à droite, Justifier** : positionnez ainsi votre texte.
   - **Numéros de mise en forme, Puces de mise en forme** : faites précéder chaque paragraphe d'un numéro ou d'une puce.
   - **Réduire le retrait, Augmenter le retrait** : décalez le paragraphe vers la gauche ou vers la droite.
   - **Insérer un lien hypertexte** : cliquez sur ce bouton pour insérer un hyperlien vers un autre site web ou un document.
   - **Insérer une ligne horizontale** : tracez une ligne de séparation.
   - **Couleur de la police** : choisissez une couleur dans la palette proposée.
   - **Couleur d'arrière-plan** : ajoutez une couleur de fond à votre message.

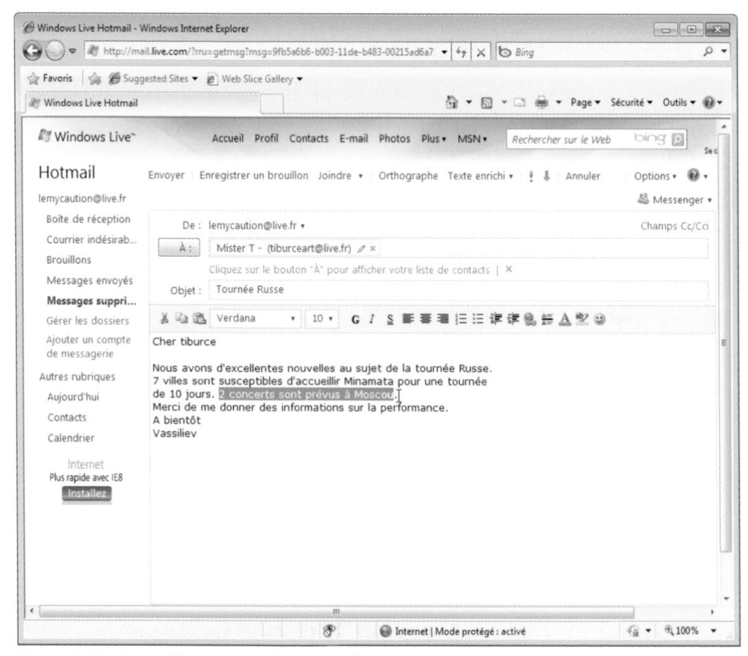

Figure 8.16 : Texte sélectionné pour la mise en forme.

Figure 8.17 : La barre d'outils Mise en forme.

Utiliser un thème

1. Vous pouvez modifier l'apparence de la fenêtre de Windows Live Mail. Pour cela, cliquez sur Option/Autres thèmes.
2. Cliquez sur un des thèmes proposés (Figure 8.18).
3. Cliquez sur le bouton Enregistrer pour valider le choix de votre thème. Cliquez sur le lien E-mail en haut de la fenêtre pour revenir dans la Boîte de réception de Windows Live Mail (Figure 8.19).

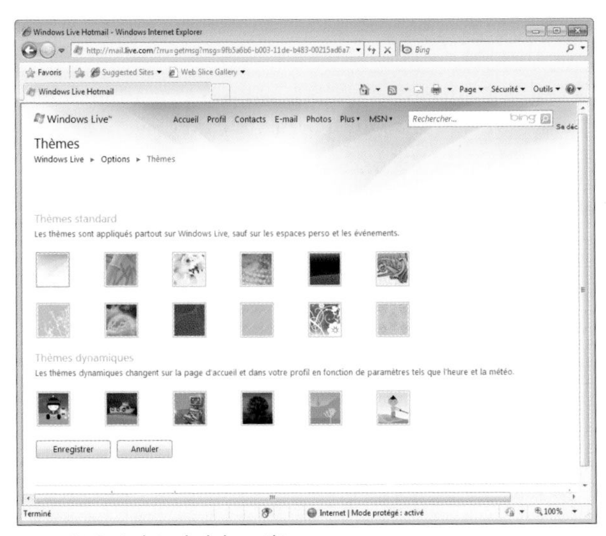

Figure 8.18 : La boîte de dialogue Thèmes.

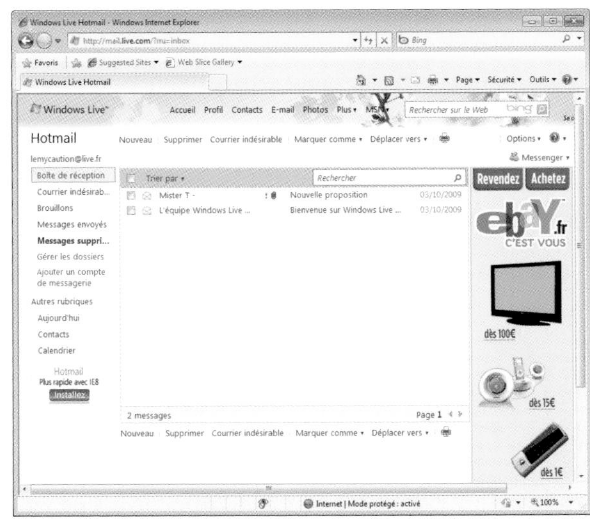

Figure 8.19 : Un thème appliqué à Windows Live Mail.

Ajouter des contacts

1. Cliquez sur le lien Contacts en haut de la fenêtre de Windows Live Mail. La fenêtre Contacts s'ouvre comme à la Figure 8.20.
2. Pour créer un nouveau contact, cliquez sur le bouton Nouveau.
3. Dans la fiche qui apparaît (voir Figure 8.21), entrez les données suivantes :
   - **Nom et adresse de messagerie** : le nom et l'adresse électronique du correspondant. Ce sont les seules informations nécessaires pour créer un contact.
   - **Informations personnelles** : l'adresse mail, les numéros de téléphone fixe et mobile et de télécopie, ainsi que l'adresse postale.
   - **Informations professionnelles** : l'adresse postale professionnelle, l'adresse mail professionnelle, les numéros de téléphone fixe et mobile et de télécopie.
   - **Autres informations** : indiquez une autre adresse de messagerie, un autre numéro de téléphone, l'adresse de votre site web, et la date de naissance de votre contact.
4. Cliquez sur le bouton Enregistrer pour sauvegarder les informations de votre nouveau contact, puis cliquez sur E-mail pour revenir à votre Boîte de réception.

Vous pouvez rechercher des contacts en cliquant sur la rubrique Contacts affichée dans le volet de gauche. Dans le champ Rechercher, tapez des informations liées à la personne dont vous désirez retrouver la fiche. Vous pouvez également cliquer sur l'une des lettres de l'alphabet affichées en haut de la liste de vos contacts.

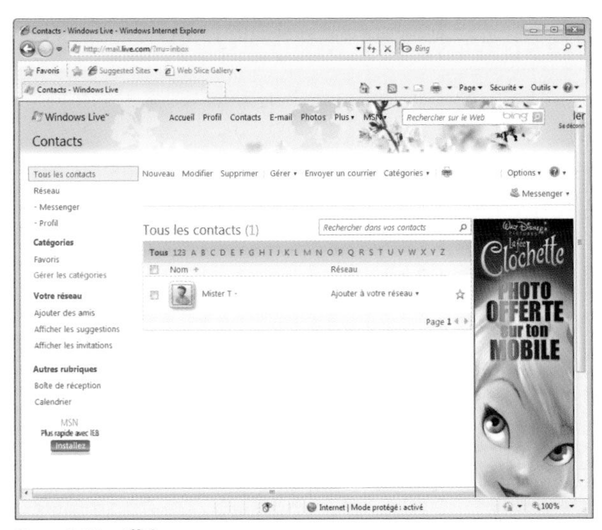

Figure 8.20 : Affichez vos contacts.

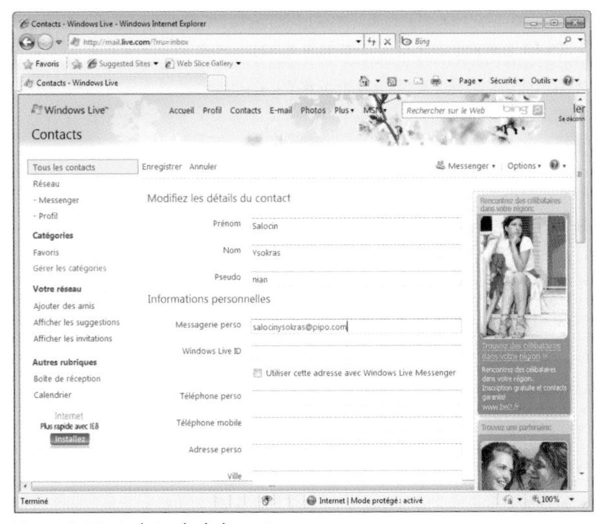

Figure 8.21 : La boîte de dialogue Contacts.

Personnaliser le Volet de lecture

1. Cliquez sur Option/Autres options.
2. Dans la section Personnalisation de votre messagerie électronique, cliquez sur le lien Volet de lecture. Dans la nouvelle fenêtre qui s'affiche, définissez les options d'affichage de ce volet (Figure 8.22). Activez les options d'affichage qui vous conviennent.
3. Cliquez sur le bouton Enregistrer pour sauvegarder les paramètres d'utilisation de votre Volet de lecture.

Créer des dossiers de messages

1. Dans le volet gauche, cliquez sur le lien Gérer les dossiers. Vous ouvrez la fenêtre illustrée à la Figure 8.23.
2. Cliquez sur le bouton Nouveau.
3. Dans la boîte de dialogue de création d'un nouveau dossier, tapez un nom, puis cliquez sur Enregistrer.
4. Cliquez sur E-mail pour revenir à votre Boîte de réception.

Si vous désirez supprimer ou renommer un dossier, utilisez les boutons de la fenêtre Gérer les dossiers.

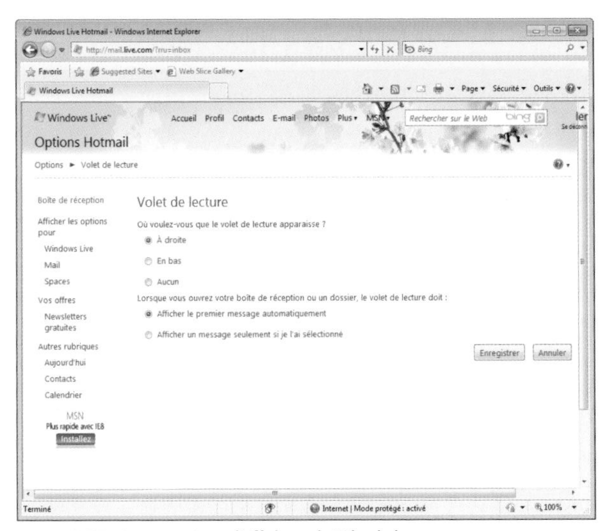

Figure 8.22 : Les paramètres d'affichage du Volet de lecture.

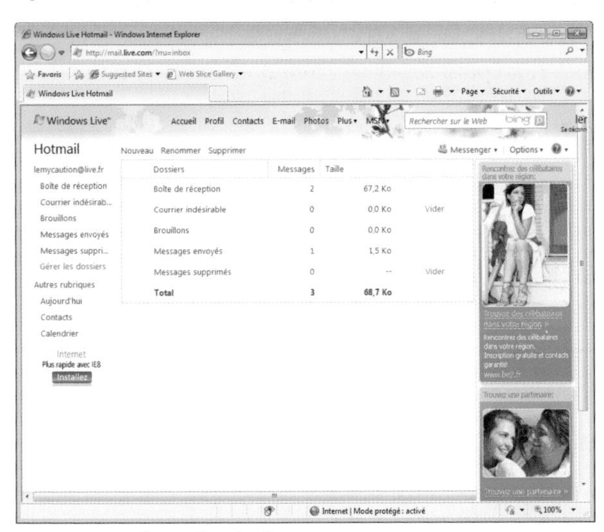

Figure 8.23 : La fenêtre Gérer les dossiers.

Classer les messages dans les dossiers

1. Dans la liste des messages de la Boîte de réception, cochez la case du ou des messages à déplacer vers un dossier. Ensuite, cliquez sur Déplacer vers/*[nom du dossier]* (Figure 8.24).
2. Pour déplacer un message d'un dossier à un autre, glissez-déposez-le depuis la zone d'affichage du contenu du dossier, vers le nom du dossier affiché dans le volet gauche.
3. Pour supprimer un message présent dans un dossier, cliquez sur le nom du dossier. Cochez la case du ou des messages à supprimer, et cliquez sur le bouton Supprimer.

Pour indiquer qu'un message est indésirable, sélectionnez-le dans la Boîte de réception ou un dossier en cochant sa case. Alors, cliquez sur le bouton Courrier indésirable.

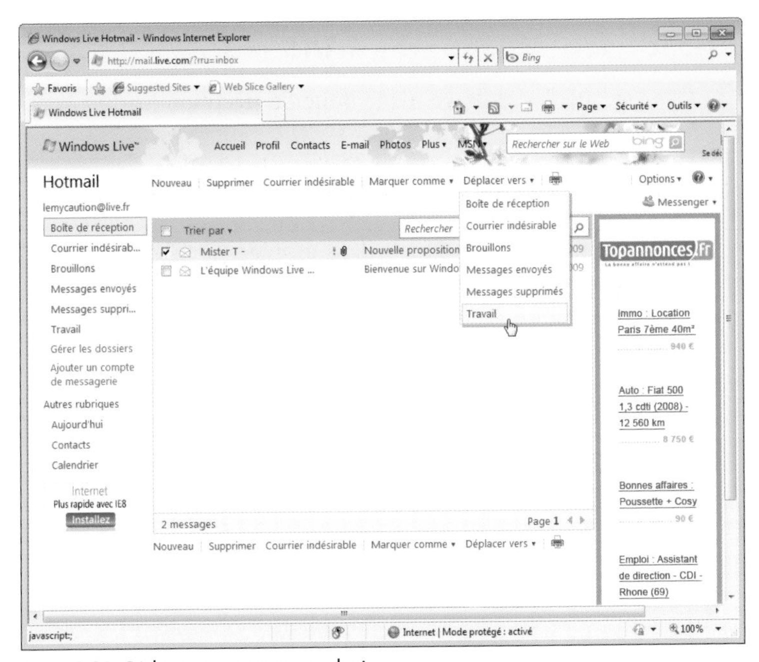

Figure 8.24 : Déplacez un message vers un dossier.

Chapitre 9

Travailler à distance

Nous vivons dans un monde frénétique. L'époque où vous pouviez rêvasser ou faire une sieste pendant un vol de Paris à Toulouse est révolue. Aujourd'hui, le travail vous poursuit partout, jusque dans les airs.

Windows 7 n'est pas en reste. Diverses fonctionnalités permettent de rester en contact avec votre bureau durant vos déplacements, et vous aident à connecter des périphériques mobiles comme un assistant numérique ou un téléphone.

Ces commandes pour utilisateur nomade sont notamment :

- Les outils de gestion de l'alimentation de l'ordinateur portable qui évitent la panne de batterie au moment le plus crucial.
- La possibilité de se connecter à un réseau sans fil dans un hôtel, un aéroport ou un autre lieu public comme la Ligne 38 à Paris.
- Une fonction qui permet de créer et de diffuser des présentations en voyage.

Créer un plan d'alimentation pour un portable

1. Choisissez Démarrer/Panneau de configuration/Système et sécurité. Cliquez sur Options d'alimentation.
2. Choisissez un mode dans la fenêtre Sélectionnez un plan d'alimentation (Figure 9.1).
3. Pour modifier l'alimentation, cliquez sur le lien Modifier les paramètres du mode. Dans la fenêtre qui apparaît (Figure 9.2), cliquez sur une des flèches et sélectionnez la durée d'inactivité au terme de laquelle l'écran s'éteint pour économiser l'énergie, et celle au terme de laquelle l'ordinateur bascule en veille.
4. Cliquez sur Enregistrer les modifications, puis sur le bouton Fermer pour quitter le Panneau de configuration.

Utilisez le volet gauche de la fenêtre Options d'alimentation pour définir quelques options supplémentaires. Ainsi, vous pouvez exiger de taper un mot de passe pour sortir du mode de mise en veille. Pour cela, cliquez sur le lien Demander un mot de passe pour sortir de veille.

Cliquez sur le chevron de la section Afficher les modes supplémentaires pour accéder à d'autres plans de gestion de l'alimentation. Par défaut, Windows 7 recommande le plan Usage normal. Il propose un équilibre entre performances de l'ordinateur et économie d'énergie. Ce mode est idéal lorsque vous travaillez avec votre portable à votre domicile. En revanche, en voyage, il est conseillé d'opter pour Économie d'énergie, afin d'augmenter l'autonomie de vos batteries.

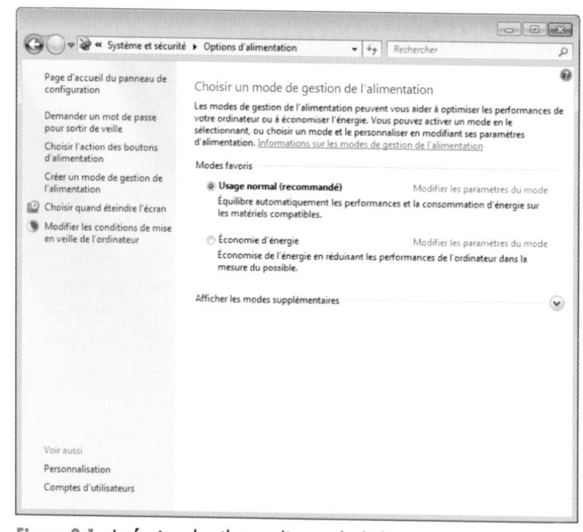

Figure 9.1 : La fenêtre de sélection d'un mode d'alimentation.

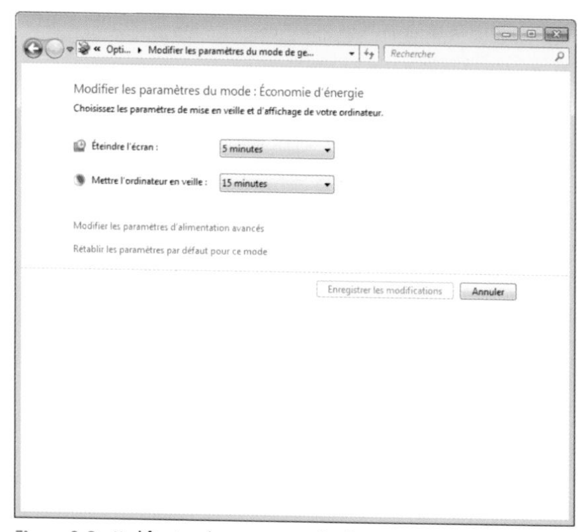

Figure 9.2 : Modification des paramètres du plan d'alimentation.

Personnaliser le plan d'alimentation

1. Choisissez Démarrer/Système et sécurité, puis Options d'alimentation.
2. Dans le volet de gauche de la fenêtre Options d'alimentation, cliquez sur le lien Créer un mode de gestion de l'alimentation (Figure 9.3).
3. Dans la fenêtre Créer un mode de gestion de l'alimentation, sélectionnez un mode proche de celui que vous désirez créer, nommez-le dans le champ Nom du mode, puis cliquez sur Suivant.
4. Dans la fenêtre Modifier les paramètres du mode (Figure 9.4), déroulez les listes d'extinction de l'écran et de mise en veille et sélectionnez les durées.
5. Cliquez sur le bouton Créer afin d'ajouter ce mode aux plans d'alimentation.

Un plan que vous créez est dépourvu de points évaluant les économies d'énergie et les performances. De même, lorsque vous modifiez un plan existant, ces scores ne changent pas. Si quelqu'un d'autre utilise l'ordinateur, prévenez-le de vos modifications. Ou alors, dans la fenêtre Modifier les paramètres du mode, cliquez sur le lien Rétablir les paramètres par défaut pour ce plan.

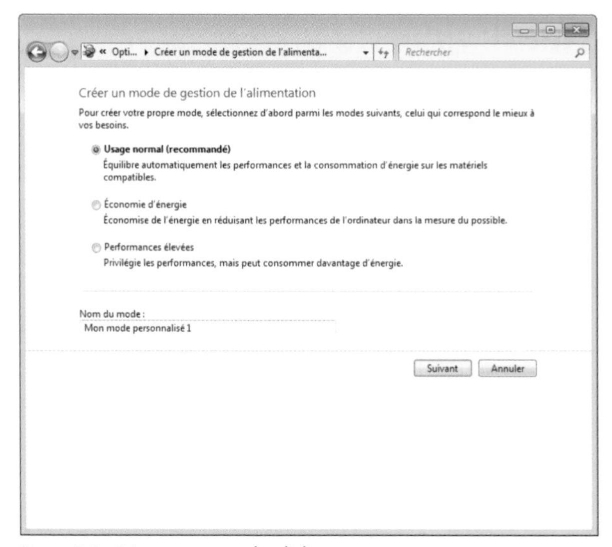

Figure 9.3 : Créez votre propre plan d'alimentation.

Figure 9.4 : Personnalisez les réglages de votre mode de gestion de l'alimentation.

Se connecter à un réseau sans fil

1. Si votre ordinateur est équipé d'une carte réseau, il peut établir une connexion sans fil à des réseaux publics ou privés. Pour cela, cliquez sur Démarrer/Panneau de configuration/Réseau et Internet.

2. Choisissez Se connecter à un réseau. La fenêtre de la Figure 9.5 apparaît.

3. Dans la zone de notification de Windows 7, cliquez sur un réseau pour le sélectionner, puis cliquez sur Se connecter. Windows 7 vérifie la connexion puis l'établit. Si le réseau est sécurisé, Windows vous demandera de saisir la clé de sécurité du réseau, sans laquelle la connexion est impossible. Modifier la luminosité de l'affichage pour économiser de l'énergie

1. Pour réduire la luminosité de l'écran afin d'économiser le l'énergie, cliquez sur Démarrer/Panneau de configuration.

2. Dans la section Ordinateur portable, cliquez sur Ajuster les paramètres de mobilité communément utilisés (Figure 9.6). Faites glisser le curseur Luminosité vers la gauche pour réduire la luminosité de l'affichage.

3. Cliquez sur le bouton de fermeture du Centre de mobilité Windows.

Certains paramètres de la Figure 9.6 ne seront pas sur votre ordinateur. Par exemple, si votre PC n'a pas de carte réseau sans fil, vous n'aurez pas la possibilité d'activer cette fonction dans le Centre de mobilité Windows.

Le Centre de mobilité Windows est fondamental lorsque vous voyagez beaucoup car il permet de régler certains paramètres qui feront économiser beaucoup d'énergie. Pour entrer dans le détail des paramètres proposés, cliquez sur leur icône.

Figure 9.5 : La fenêtre de connexion à un réseau.

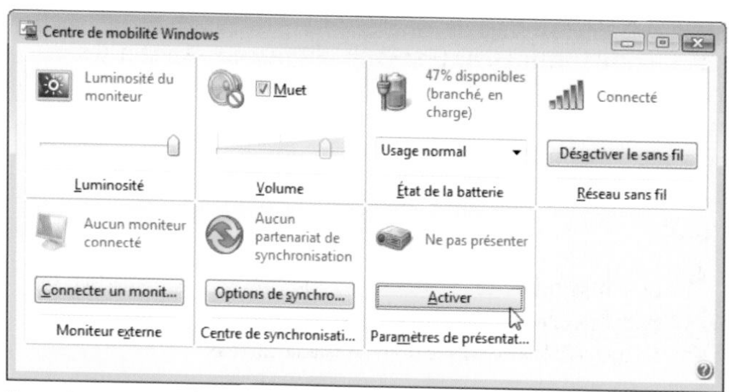

Figure 9.6 : Le Centre de mobilité Windows.

Vérifier l'état des batteries

1. Dans la zone de notification de Windows, cliquez sur l'icône de la batterie de votre portable.
2. Une fenêtre affiche alors des informations sur l'autonomie restante, et le mode de gestion de l'alimentation utilisé (Figure 9.7).
3. Dans cette petite fenêtre, vous pouvez :
   - Sélectionner un plan d'alimentation.
   - Accéder aux autres options d'alimentation.
   - Ouvrir le Centre de mobilité Windows.
4. Cliquez n'importe où en dehors de cette fenêtre pour la fermer.

Le Centre de mobilité Windows donne aussi des informations sur l'autonomie de votre batterie. Accédez-y *via* Panneau de configuration, et cliquez sur le lien Ajuster les paramètres de mobilité communément utilisés.

Si vous désirez disposer d'une très grande autonomie de batterie, investissez dans un netbook. Ces PC compacts sont légers, et l'autonomie de leur batterie peut atteindre neuf heures.

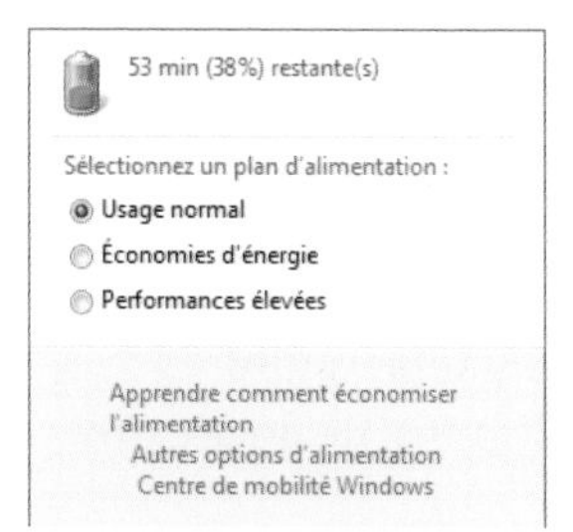

Figure 9.7 : L'état de la batterie.

Connecter un vidéoprojecteur

1. Pour connecter un vidéoprojecteur *via* le câble VGA ou DVI de votre carte graphique, cliquez sur Démarrer/Panneau de configuration. Cliquez sur Matériel et audio, puis sur Se connecter à un appareil d'affichage externe (Figure 9.8).
2. Dans la liste Affichages multiples vous disposez de quatre choix (Figure 9.9) :

- **Dupliquer ces affichages.** Permet d'afficher le Bureau aussi bien sur le moniteur principal que sur l'image projetée par le vidéoprojecteur.
- **Étendre ces affichages.** Répartit l'image sur ces deux périphériques d'affichage.
- **Afficher le Bureau uniquement sur 1.** Affiche le Bureau sur le portable.
- **Afficher le Bureau uniquement sur 2.** Affiche le Bureau uniquement sur l'image projetée par le vidéoprojecteur.

3. Dès que vous cliquez sur un paramètre, la fenêtre se ferme et les réglages prennent immédiatement effet.

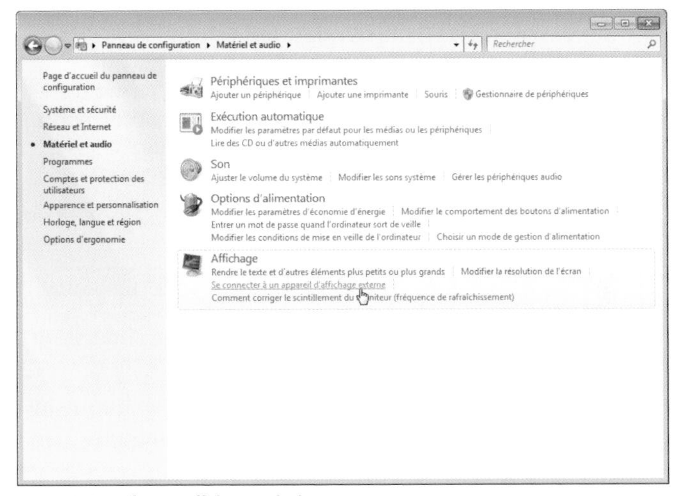

Figure 9.8 : Définir un affichage multiple.

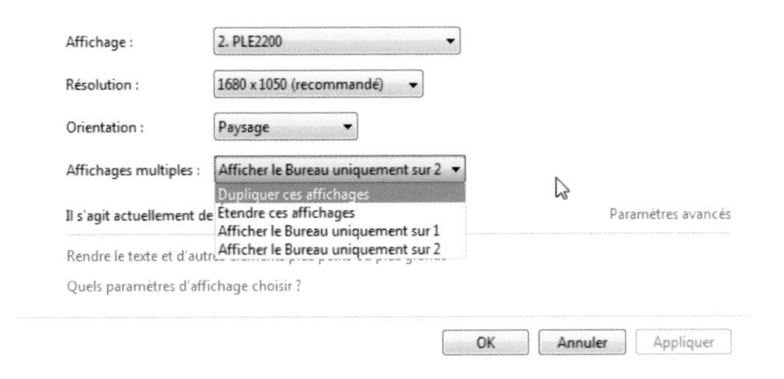

Figure 9.9 : Choisir le type d'affichage multiple.

Activer les paramètres de présentation

1. En activant les paramètres de présentation, vous désactivez l'économiseur d'écran. Cela évite d'interrompre une projection si vous ne touchez à aucun périphérique durant cette projection. Cliquez sur Démarrer/Panneau de configuration. Ensuite, cliquez sur le lien Ajuster les paramètres de mobilité communément utilisés.
2. Dans la fenêtre Centre de mobilité Windows, cliquez sur le bouton Activer de Paramètres de présentation (Figure 9.10).
3. Lorsque la diffusion de la présentation est terminée, cliquez sur le bouton Désactiver (étape 2).
4. Dans la boîte de dialogue Options de modem et téléphonie qui apparaît, cliquez sur OK pour enregistrer la configuration.

Si vous utilisez une tablette PC, un paramètre du Centre de mobilité Windows permet de modifier son orientation en passant du mode paysage au mode portrait.

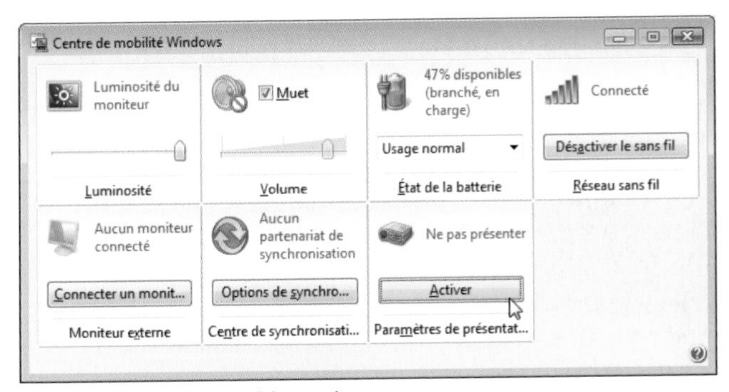

Figure 9.10 : Le Centre de mobilité Windows.

Troisième partie

Configurer le matériel et les réseaux

Chapitre 10

Configurer un nouveau matériel

Que diable peuvent être les périphériques, cartes graphiques, modems et clés USB ?

Globalement, tout cela fait partie du matériel. Le processeur et le moniteur en sont aussi, de même que toutes les cartes présentes dans l'unité centrale, qui fournissent les circuits permettant à l'ordinateur de calculer et mémoriser, et de lire du son ou de la vidéo. L'imprimante est du matériel, à l'instar de tout ce qui se branche à l'ordinateur.

Autrefois, l'installation d'un nouveau matériel était une bonne occasion de marmonner et pester. Rien n'était compatible, tout s'installait différemment, et Windows lui-même ne trouvait pas toujours le pilote adéquat, ce petit programme qui régit chaque équipement. Tout a changé avec une technologie appelée *plug and play*, « branchez, ça marche », qui automatise l'installation ainsi que certaines connexions standardisées comme celle du port USB (*Universal Serial Bus*). Windows 7 est doté de nombreux pilotes, et s'il en manque un, il est généralement facile de le télécharger depuis le site web du fabricant. Vous apprendrez dans ce chapitre comment :

- **Installer et configurer les périphériques courants** : moniteur, imprimante et modem.
- **Installer et configurer des cartes qui s'insèrent dans votre UC** : ajouter des cartes son et vidéo.
- **Partitionner le disque dur** : ajouter et partitionner un disque dur pour augmenter votre capacité de stockage.

Installer une imprimante

1. Lisez les instructions livrées avec l'imprimante : le logiciel (pilote ou *driver*) doit parfois être installé avant de la connecter, parfois après.
2. Allumez l'ordinateur puis choisissez l'option qui vous convient :
   - Si l'imprimante est *plug and play*, connectez-la. Windows 7 se charge automatiquement du reste.
   - Ou insérez le CD livré avec l'imprimante et suivez les instructions.
   - Ou choisissez Démarrer/Périphériques et Imprimantes. Si c'est l'option que vous avez choisie, effectuez les étapes ci-après.
3. Si vous avez choisi la troisième option, à l'Étape 2, cliquez sur le bouton Ajouter une imprimante.
4. Dans la fenêtre de l'assistant qui apparaît (Figure 10.1), cliquez sur Ajouter une imprimante locale. Cliquez sur Suivant.

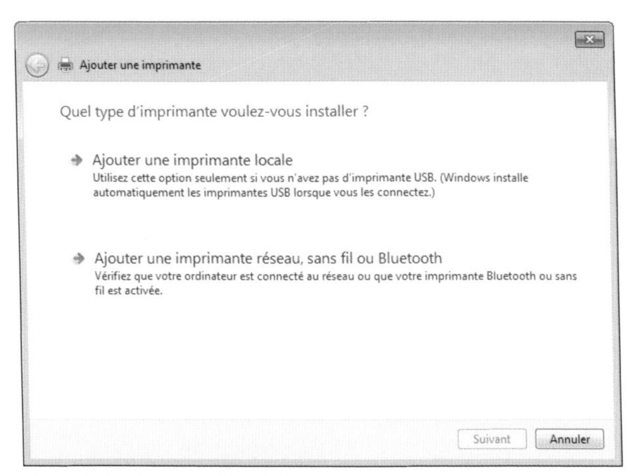

Figure 10.1 : L'Assistant d'ajout d'imprimante.

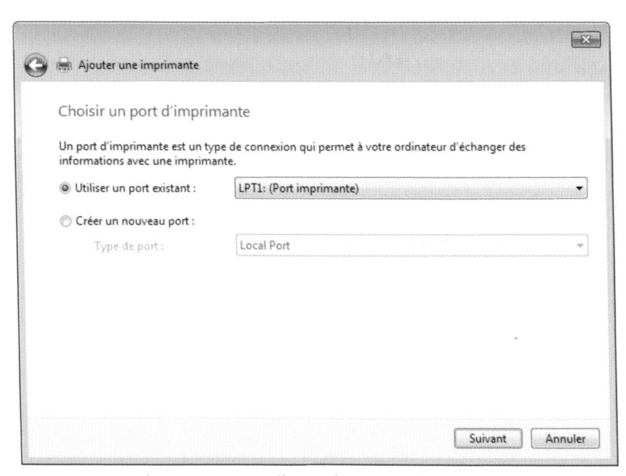

Figure 10.2 : Sélectionnez éventuellement le port à utiliser.

5. Dans la boîte de dialogue de la Figure 10.2, cliquez sur la liste Utiliser un port existant. Vous pouvez également utiliser le port recommandé par Windows. Cliquez sur Suivant.
6. À l'étape suivante, Installer le pilote de l'imprimante, choisissez le fabricant de l'imprimante puis le modèle d'imprimante. Deux options sont proposées :
   - Si vous possédez le CD du fabricant, insérez-le dans le lecteur approprié, puis cliquez sur le bouton Disque fourni. Cliquez sur Suivant.
   - Si vous ne possédez pas le CD, cliquez sur Windows Update pour télécharger le pilote depuis le site web de Microsoft. Cliquez sur Suivant.
7. Dans la boîte de dialogue Entrer un nom d'imprimante, nommez l'imprimante (Figure 10.4), et cliquez sur Suivant.
8. Dans la dernière boîte de dialogue, cliquez sur Terminer.

Si l'ordinateur appartient à un réseau, une autre boîte de dialogue apparaîtra après Entrer un nom d'imprimante. Sélectionnez l'option Ne pas partager cette imprimante pour empêcher les autres utilisateurs d'y accéder, ou l'option Partager *nom_imprimante* pour la mettre à disposition de tout le monde.

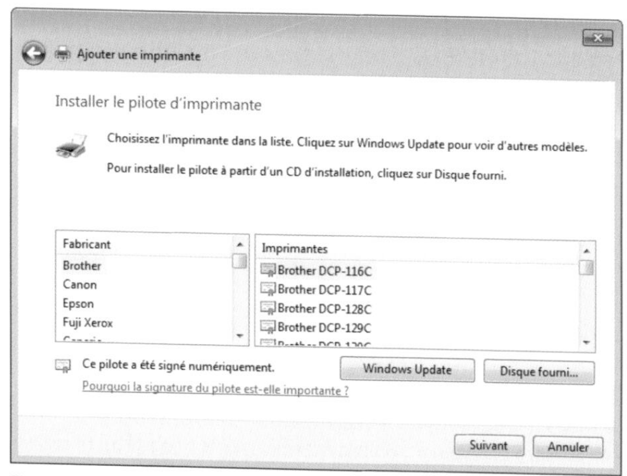

Figure 10.3 : Sélectionnez le fabricant et l'imprimante.

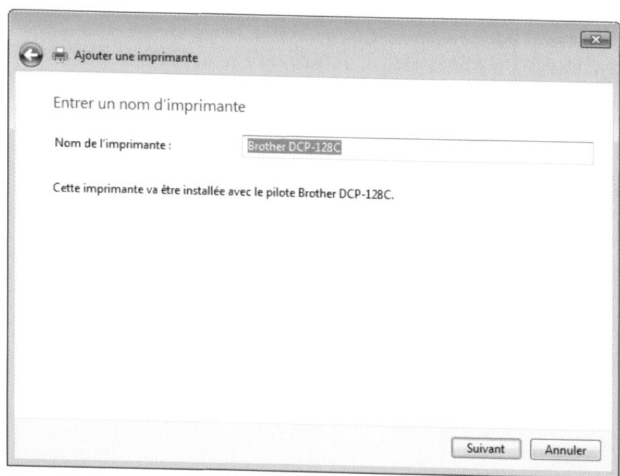

Figure 10.4 : Nommez l'imprimante.

Définir une imprimante par défaut

1. Choisissez Démarrer/Périphériques et imprimantes.
2. Dans la boîte de dialogue Périphériques et imprimantes de la Figure 10.5, l'actuelle imprimante par défaut est indiquée par une coche.
3. Cliquez du bouton droit sur une imprimante et, dans le menu contextuel, choisissez Définir comme imprimante par défaut (Figure 10.6).
4. Cliquez sur le bouton Fermer (X) pour sauvegarder votre choix.

Pour modifier les propriétés de l'imprimante, notamment la qualité d'impression (brouillon, normale, élevée…), la couleur ou le noir et blanc, cliquez du bouton droit sur une imprimante et choisissez Propriétés (voir la Figure 10.6). La boîte de dialogue qui apparaît est commune à la plupart des logiciels Windows, comme Word ou Excel.

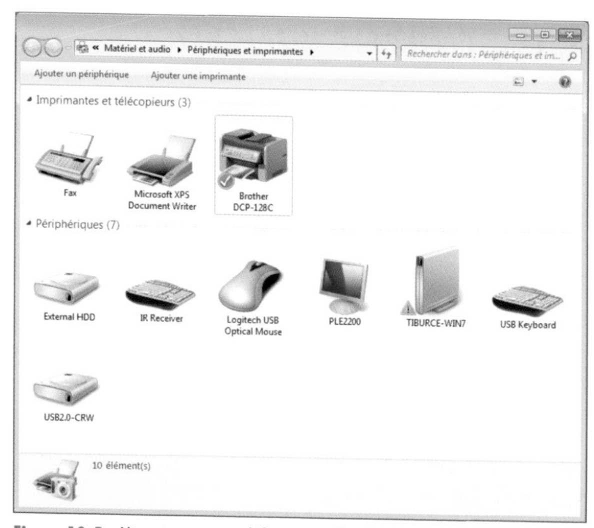

Figure 10.5 : L'imprimante par défaut est cochée.

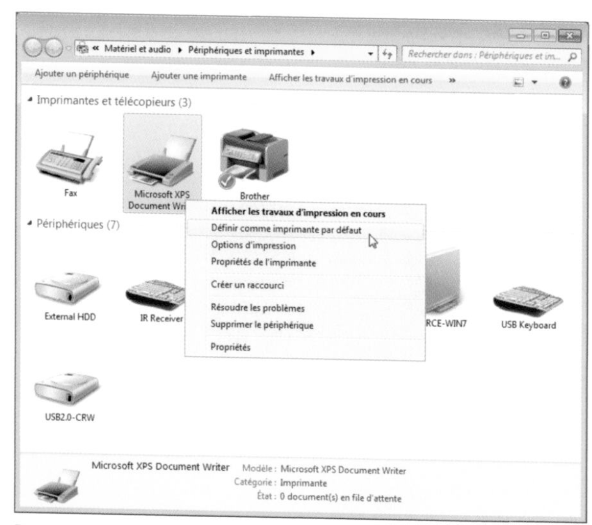

Figure 10.6 : Changement d'imprimante par défaut.

Configurer un périphérique USB

1. Choisissez Démarrer/Panneau de configuration/Matériel et audio/Gestionnaire de périphériques, cliquez sur Afficher le matériel et les périphériques.
2. Dans la boîte de dialogue Gestionnaire de périphériques, (Figure 10.7), cliquez sur le triangle à gauche de l'élément Contrôleurs de bus USB. Cliquez du bouton droit sur l'un des sous-éléments et choisissez Propriétés.
3. Dans la boîte de dialogue qui apparaît (Figure 10.8), cliquez sur l'onglet Pilote.
4. Ici, vous pouvez voir les détails du pilote, le mettre à jour ou le désinstaller.
5. Cliquez sur OK afin d'enregistrer la nouvelle configuration du pilote.

Si un périphérique USB ne fonctionne pas correctement, cliquez sur l'onglet Ressources. Vous y trouverez une liste de périphériques conflictuels susceptibles de provoquer des dysfonctionnements. Allez aussi voir sur le Centre d'aide de Microsoft (Démarrer/Aide et support).

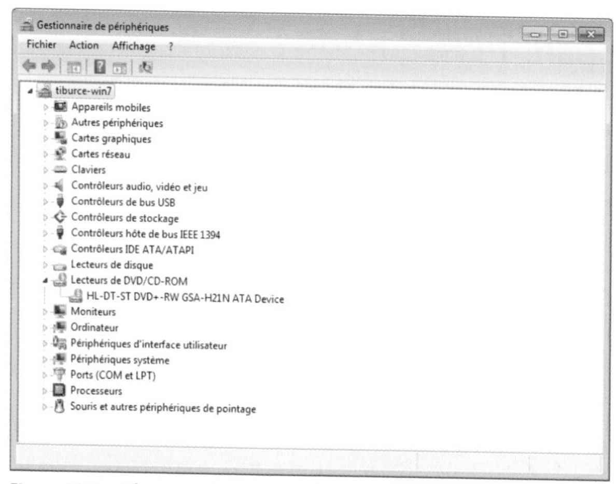

Figure 10.7 : Sélectionnez les propriétés d'un port USB.

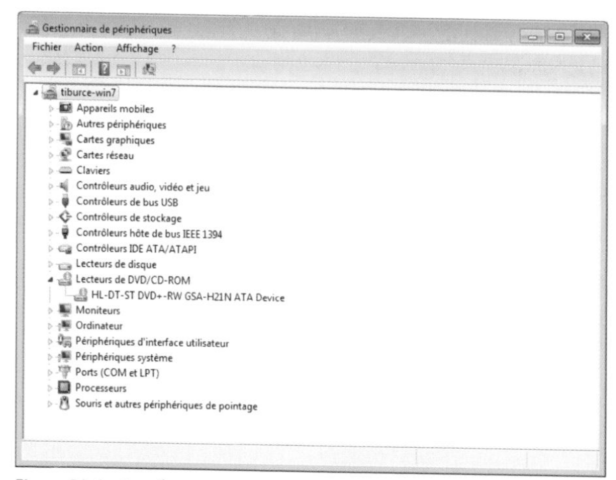

Figure 10.8 : Les pilotes sont gérés sous cet onglet.

Configurer un nouveau moniteur

1. Insérez dans le lecteur de CD le disque livré avec le moniteur et choisissez Démarrer/Panneau de configuration/Matériel et audio/Gestionnaire des périphériques.
2. Dans le Gestionnaire des périphériques, cliquez sur le triangle à gauche de Moniteurs pour afficher le ou les moniteurs installés (Figure 10.9). Cliquez du bouton droit sur le nouveau moniteur et, dans le menu contextuel, choisissez Rechercher les modifications sur le matériel.
3. Si le moniteur est à jour, un message très fugace indique que l'analyse du matériel est en cours. Si le moniteur n'est pas à jour, un assistant apparaît. Suivez ses instructions pour installer de nouveaux pilotes.
4. L'installation terminée, et si tout s'est bien déroulé, vous pouvez fermer le Gestionnaire des périphériques.

Si vous avez des problèmes avec le moniteur, ouvrez le Gestionnaire des périphériques et choisissez Propriétés. Sous l'onglet Pilote, assurez-vous qu'un bouton Désactiver est visible (ce qui présume que le pilote est actif). Si le problème persiste, essayez de trouver de l'aide dans Démarrer/Aide et support.

Beaucoup de pilotes sont d'ores et déjà stockés dans Windows. Cela évite d'aller systématiquement sur l'Internet quand vous installez un nouveau matériel.

Vous pouvez modifier les paramètres d'affichage. Choisissez Démarrer/Panneau de configuration/Apparence et personnalisation. Reportez-vous au Chapitre 12 pour en savoir plus sur les options d'affichage.

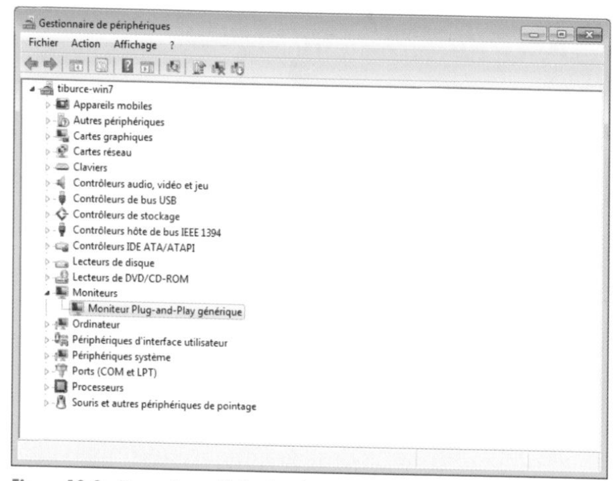

Figure 10.9 : Un moniteur affiché dans le Gestionnaire des périphériques.

Mettre la carte graphique à jour

1. Éteignez l'ordinateur (**Remarque** : cette étape est une mesure de sécurité très importante, car vous ouvrirez l'unité centrale, et risquez donc de recevoir un coup de jus !).
2. Reportez-vous au manuel de votre ordinateur pour savoir comment ouvrir votre tour, quels équipements se trouvent dedans, et le type de carte graphique utilisable, ainsi que son emplacement sur la carte mère.
3. Insérez la carte graphique dans le connecteur approprié et revissez le capot.
4. Rallumez votre PC. Windows détecte la présence de la carte graphique et installe les pilotes nécessaires.
5. Accédez aux informations sur la carte graphique en choisissant Démarrer/Panneau de configuration/Matériel et audio/ Gestionnaires des périphériques.
6. Cliquez sur le triangle de l'élément Cartes graphiques (Figure 10.10). Faites un clic droit sur le nom de votre carte graphique, et choisissez Propriétés. Vous voyez les paramètres de la carte (Figure 10.11). La section État du périphérique permet de savoir si la carte fonctionne correctement.

Les technologies évoluant rapidement et le matériel étant susceptible d'avoir ses propres particularités, nous vous conseillons de lire attentivement le manuel de l'ordinateur et celui de l'équipement que vous ajoutez.

Attention ! N'intervenez jamais dans un ordinateur dont la prise n'est pas débranchée. Méfiez-vous de l'électricité statique, qui peut abîmer des composants (il existe des cordons spéciaux, à attacher aux poignets, destinés à évacuer l'électricité statique).

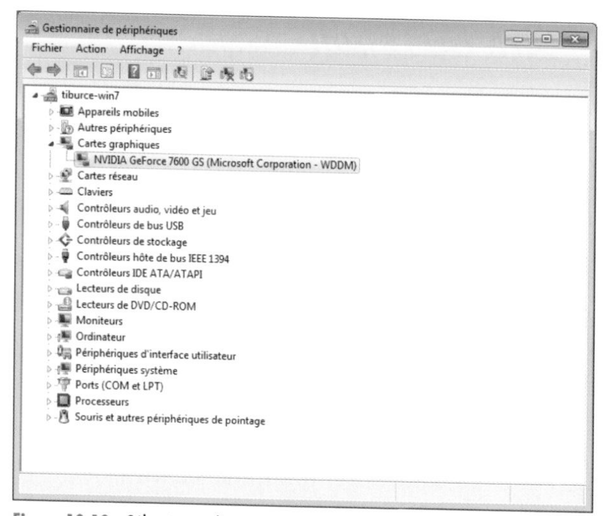

Figure 10.10 : Sélectionnez la carte graphique.

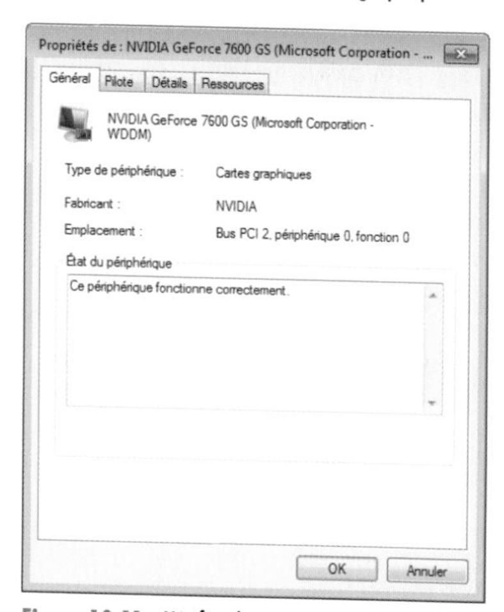

Figure 10.11 : Vérifiez les paramètres de votre nouvelle carte graphique.

Configurer une carte son

1. Choisissez Démarrer/Panneau de configuration/Matériel et audio, puis cliquez sur le lien Gestionnaire des périphériques.
2. Dans la boîte de dialogue du Gestionnaire des périphériques, cliquez sur le triangle situé à gauche de l'entrée Contrôleurs audio, vidéo et jeu, comme à la Figure 10.12.
3. Cliquez du bouton droit sur la carte son mentionnée et choisissez Propriétés.
4. Dans la boîte de dialogue des propriétés de la carte audio (Figure 10.13), cliquez sur l'onglet Pilote et assurez-vous que le quatrième bouton porte la mention Désactiver, ce qui signifie qu'il est actuellement actif. S'il porte la mention Activer, cliquez dessus.
5. Pour modifier le pilote, cliquez sur le bouton Mettre à jour le pilote.
6. La configuration terminée, cliquez sur OK

Consultez le manuel de la carte son avant de modifier quoi que ce soit. Certaines cartes audio sont en fait un composant intégré à la carte mère. D'autres exigent la désactivation de l'ancienne carte avant d'en installer une nouvelle.

Avant d'intervenir sur la carte son, sachez que le volume des enceintes peut être mis sur Muet. Pensez-y lorsque votre PC n'émet plus aucun son. C'est tout bête, mais ce genre d'oubli m'est arrivé à moi aussi.

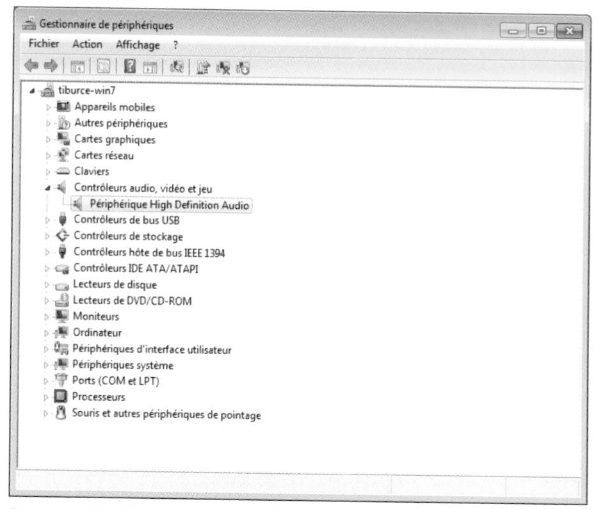

Figure 10.12 : L'accès aux propriétés de la carte son.

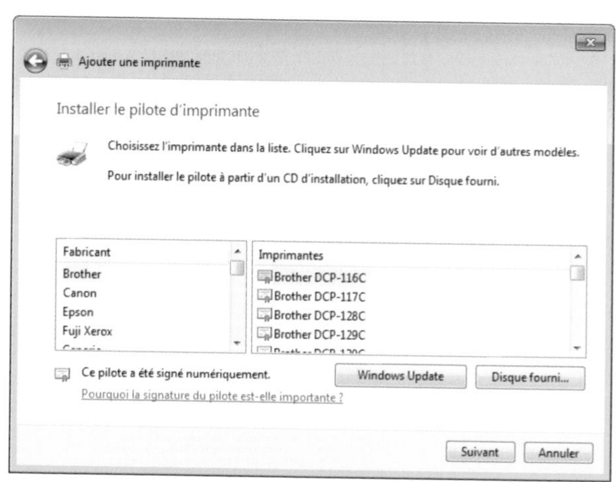

Figure 10.13 : La carte son est actuellement active.

Étendre une partition avec le gestionnaire de disque

1. Choisissez Démarrer/Panneau de configuration/Système et sécurité/Outils d'administration.
2. Dans la boîte de dialogue Outils d'administration, double-cliquez sur Gestion de l'ordinateur.
3. La fenêtre Gestion de l'ordinateur (Figure 10.14) apparaît. Dans le volet de gauche, cliquez sur Gestion des disques. Dans le volet central qui s'affiche, cliquez du bouton droit sur un disque dur qui n'est pas alloué et, dans le menu déroulant, choisissez Étendre le volume (Figure 10.15).
4. Suivez les instructions fournies par l'Assistant afin de créer une nouvelle partition.

L'extension de la partition s'effectue au détriment de la partition adjacente, à laquelle elle emprunte de l'espace disque ; le système devient un peu plus performant. Cette procédure ne peut être faite qu'à partir d'une session Administrateur.

Vous pouvez aussi réduire une partition, ce qui libère de la place pour en créer une autre. La commande Réduire le volume se trouve dans le même menu qu'Étendre le volume.

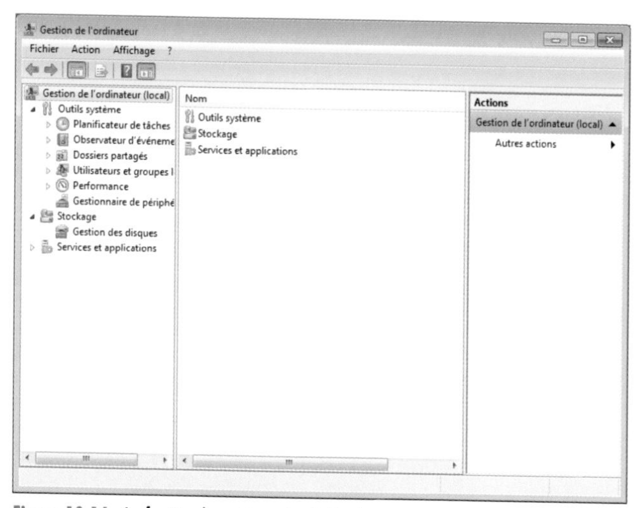

Figure 10.14 : La fenêtre du gestionnaire de l'ordinateur.

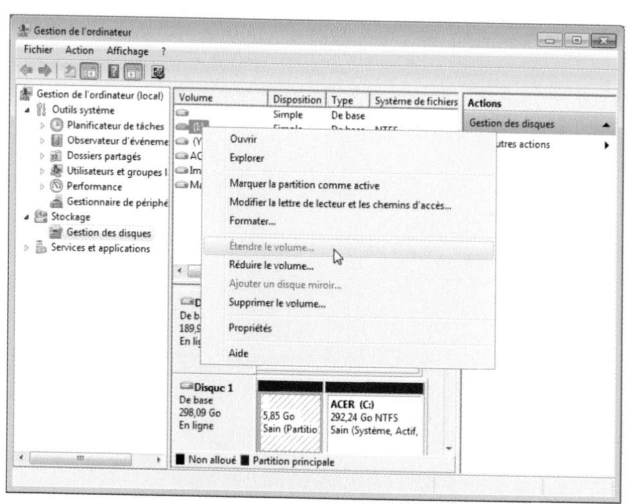

Figure 10.15 : Un disque dur partitionné en deux parties.

Chapitre 11 Configurer et utiliser un réseau

Mettre plusieurs ordinateurs en réseau facilite grandement l'existence, car chacun pourra ainsi partager ses dossiers, fichiers, imprimante et bénéficier de la même connexion Internet.

Le moyen le plus courant de relier des ordinateurs est le réseau filaire Ethernet, ce qui implique l'achat de câbles et d'un *répartiteur* ou d'un *commutateur.* Examinez l'arrière de l'ordinateur pour savoir s'il est équipé pour Ethernet : il doit comporter un connecteur ressemblant à une grosse prise de téléphone.

La plupart des ordinateurs récents possèdent les pilotes de réseau nécessaires. Windows 7 reconnaît immédiatement la connexion. Grâce à son Assistant, n'importe qui peut créer un réseau domestique.

Vous pouvez aussi créer le réseau autour d'un point d'accès sans fil, configuré selon les instructions d'installation d'un routeur sans fil. Il faudra aussi autant de cartes réseau PCI ou USB que d'ordinateurs à relier.

La configuration d'un réseau impose les tâches suivantes :

- L'installation d'une carte réseau, si l'ordinateur en est dépourvu, et la configuration du réseau à l'aide de l'Assistant de réseau.
- L'installation d'un point d'accès sans fil et sa configuration à l'aide de l'Assistant de réseau sans fil.
- Divers paramétrages, dont le choix du nom de l'ordinateur (Gargamelle, Chloé, Ordinateur du bureau...).
- La création d'un groupe de travail (et voir les ordinateurs du réseau).
- La création d'une connexion Bluetooth.

Installer une carte réseau PCI

1. Éteignez l'ordinateur, débranchez-le et ôtez tous les câbles.
2. Ouvrez le boîtier (Figure 11.1). Le manuel explique comment faire. Il suffit généralement de dévisser une ou deux vis et de faire glisser une plaque ou le capot.
3. Touchez un objet métallique relié à la terre – pas l'ordinateur – pour décharger l'électricité statique.
4. Localisez un connecteur PCI vacant. Au besoin, ôtez la languette de protection. Là encore, consultez le manuel de l'ordinateur pour les détails.
5. Ôtez la carte réseau de son emballage. En la tenant par ses côtés, insérez-la fermement mais en douceur, et à fond, dans le connecteur.
6. Vérifiez qu'aucune vis n'est restée dans le boîtier, et qu'aucun câble ne risque d'être coincé quand vous refermerez l'ordinateur. Replacez la plaque ou le capot puis revissez.

Laissez la carte réseau dans l'emballage jusqu'au dernier moment. Autrement, la déposer à même le bureau pourrait la charger en électricité statique, ce qui serait dommageable pour elle et pour l'ordinateur.

7. Branchez l'ordinateur et allumez-le. Il devrait détecter aussitôt le nouvel équipement et afficher, au-dessus de la zone de notification, la bulle indiquant l'installation d'un nouvel équipement (Figure 11.2).
8. Windows 7 se charge généralement de configurer le matériel. S'il ne trouve pas le pilote requis, vous devrez le lui fournir.
9. L'installation terminée, une info-bulle indique la bonne fin de l'opération (Figure 11.3).

Si Windows ne parvient pas à trouver le pilote, utilisez le CD fourni avec le matériel. Il est aussi possible de télécharger gratuitement le pilote depuis le site web du fabricant.

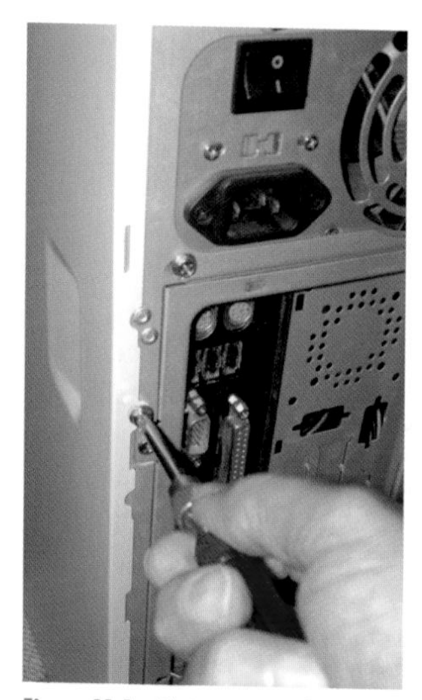

Figure 11.1 : Dévissez pour enlever les flans.

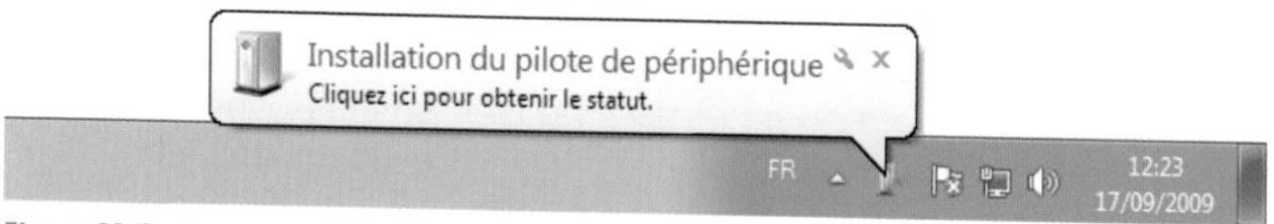

Figure 11.2 : Le message d'installation d'un pilote de périphérique.

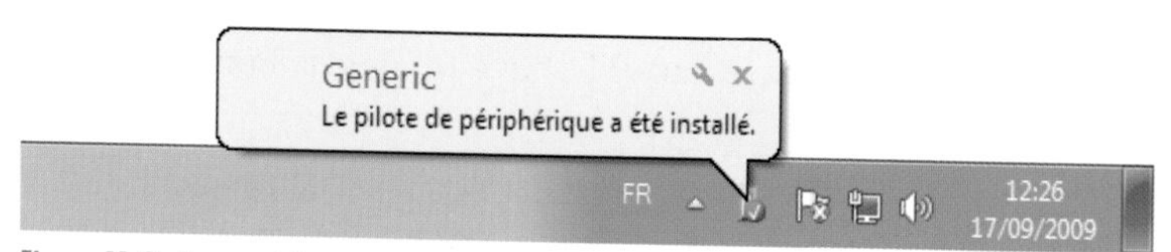

Figure 11.3 : Le nouvel équipement est à présent opérationnel.

Créer un réseau filaire Ethernet

1. Achetez du câble de type Cat 5 ou Cat 5e (voir Figure 11.4) pour chacun des ordinateurs à relier au répartiteur (NdT : choisissez-les nettement plus longs que nécessaire).
2. Achetez un répartiteur ou un commutateur (Figure 11.5) doté de suffisamment de ports : un par ordinateur (et avec quelques connecteurs supplémentaires pour de futures extensions).
3. Éteignez tous les ordinateurs ainsi que le répartiteur ou le commutateur. Branchez le câble Ethernet au port Ethernet de la carte que vous avez installée à la précédente section. Branchez l'autre extrémité au répartiteur ou commutateur.
4. Répétez l'Étape 3 pour les autres ordinateurs du réseau.
5. Allumez le répartiteur ou le commutateur, puis les ordinateurs. Exécutez les prochaines tâches de ce chapitre pour configurer le réseau.

Un commutateur préserve mieux la rapidité des échanges qu'un répartiteur. Pour des performances encore plus élevées, utilisez un routeur. Il permet de suivre les divers utilisateurs et de savoir où ils vont, sur le réseau.

Le câble de catégorie 5 (Cat 5) sert au transfert des données. La version 5e (pour *enhanced*, amélioré) est de meilleure qualité.

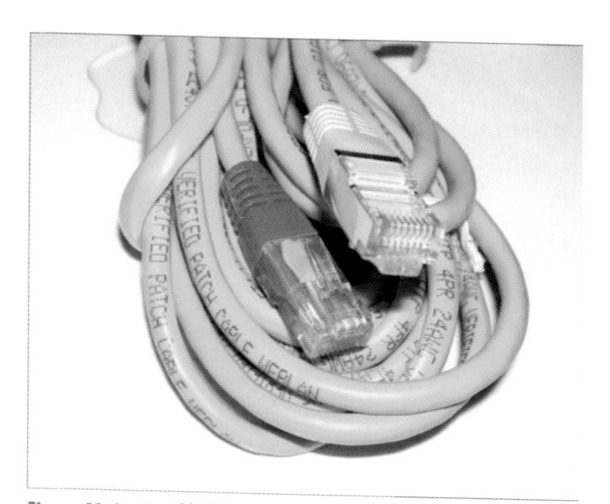

Figure 11.4 : Un câble Ethernet.

Figure 11.5 : Un commutateur à cinq ports.

Configurer un réseau sans fil

1. Allumez chacun des ordinateurs du réseau.
2. Connectez à l'Internet le PC qui doit partager la connexion Internet.
3. Sur le PC connecté à l'Internet, choisissez Démarrer/Panneau de configuration/Réseau et Internet, puis cliquez sur le lien Connexion à un réseau.
4. Dans le volet de droite, cliquez sur le lien Configurer une connexion ou un réseau.
5. Dans la fenêtre Configurer une connexion ou un réseau, cliquez sur Configurer une connexion sans fil, haut débit ou d'accès à distance à Internet. Cliquez sur Suivant.

Lorsque vous achetez un point d'accès sans fil, des instructions de configuration sont livrées avec. Elles vous demandent de brancher le matériel à une prise de courant, et de connecter les câbles Ethernet à votre ordinateur principal et à votre box haut débit. Ensuite, mettez-le tout sous tension.

6. Dans la fenêtre suivante, cliquez sur Sans fil.
7. Dans la Zone de notification de Windows 7, cliquez sur le réseau sans fil auquel vous désirez vous connecter, puis sur le bouton Connecter (Figure 11.7).
8. Tapez la clé de sécurité exigée pour se connecter à un réseau sans fil. Sans cette clé, la connexion est impossible.

Lisez attentivement le manuel de votre point d'accès sans fil pour savoir comment le configurer.

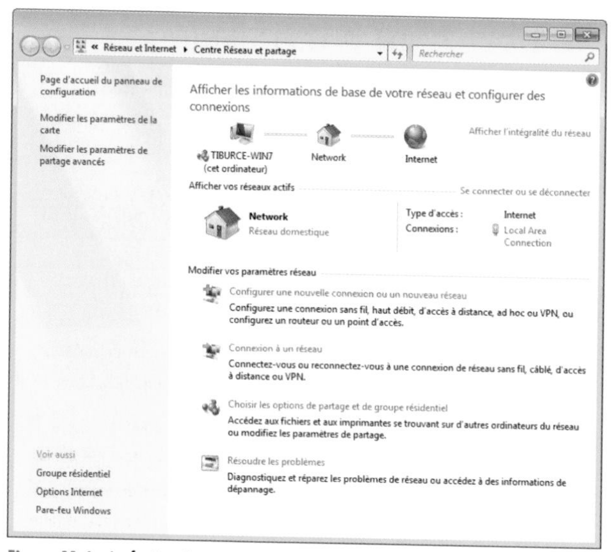

Figure 11.6 : La fenêtre Centre Réseau et partage.

Figure 11.7 : Connectez-vous à un réseau sans fil.

Modifier le nom d'un ordinateur

1. Deux ordinateurs d'un même réseau ne peuvent pas avoir le même nom. Donc, pour modifier les noms des ordinateurs : Cliquez sur Démarrage/Panneau de configuration/Système et maintenance, puis cliquez sur le lien Système.
2. Dans la boîte de dialogue de la Figure 11.8, cliquez sur le lien Modifier les paramètres.
3. Sous l'onglet Nom de l'ordinateur, dans la boîte de dialogue de la Figure 11.9, indiquez dans le champ Description de l'ordinateur de quel ordinateur il s'agit.
4. Cliquez sur OK pour fermer la boîte de dialogue.

Deux ordinateurs appartenant à un même réseau ne peuvent pas avoir le même nom. C'est pourquoi vous devrez peut-être modifier leur nom par défaut. Choisissez un nom évident, comme **PC de Marc**, pour que chacun sache de quel ordinateur il s'agit.

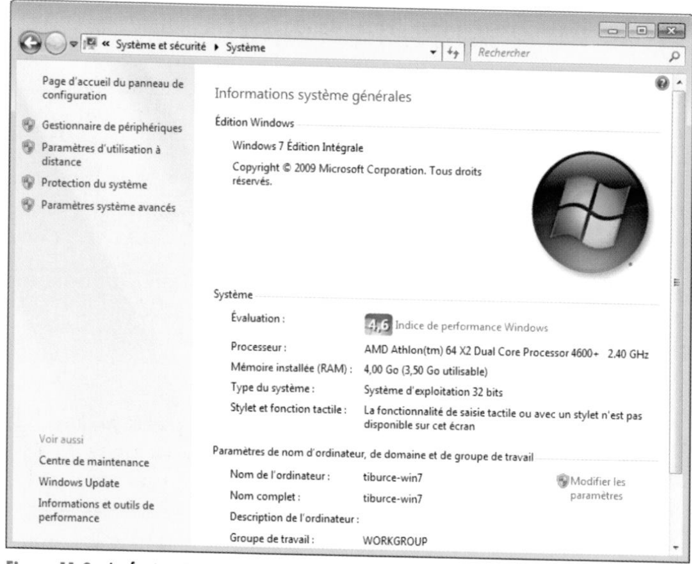

Figure 11.8 : La fenêtre Système du Panneau de configuration.

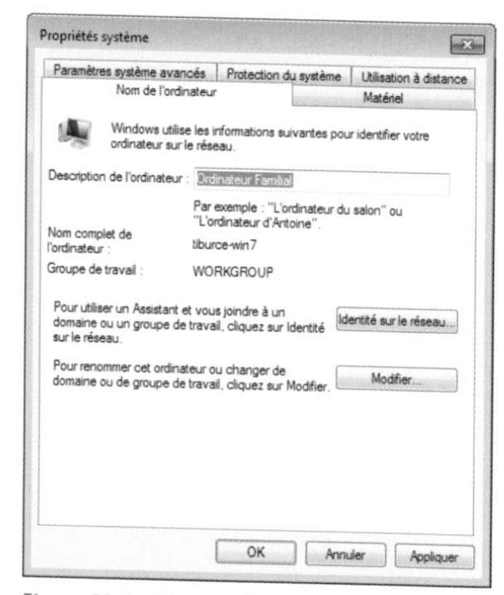

Figure 11.9 : Nommez clairement l'ordinateur.

Intégrer un groupe de travail

1. Choisissez Démarrer/Panneau de configuration/Système et maintenance, puis cliquez sur le lien Système.
2. Dans la fenêtre des informations de base sur l'ordinateur, cliquez sur le lien Modifier les paramètres (Figure 11.10).
3. Dans la boîte de dialogue Propriétés système, sous l'onglet Nom de l'ordinateur, cliquez sur le bouton Modifier.
4. Dans la boîte de dialogue Modification du nom ou du domaine (Figure 11.11), entrez dans le champ Groupe de travail un nom qui doit être impérativement identique pour tous les ordinateurs du réseau.
5. Cliquez sur OK, puis de nouveau sur OK pour quitter les propriétés système. Si l'ordinateur vous le demande, redémarrez Windows 7.

Un *groupe de travail* est essentiellement un ensemble d'ordinateurs en réseau. Sur un grand réseau, plusieurs groupes peuvent cohabiter, ce qui est une bonne chose pour l'organisation générale. Sur un réseau domestique, un seul groupe permettant à tous les utilisateurs de communiquer est amplement suffisant.

Le partage de fichiers est facilité au sein d'un même groupe de travail. Tout dossier partagé – cliquez du bouton droit dessus et choisissez Partage et sécurité – est accessible à tout le monde sur le réseau.

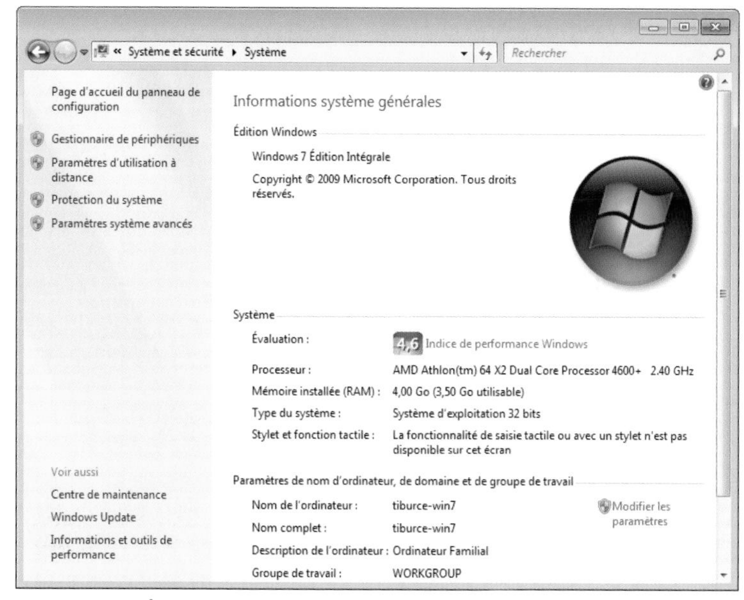

Figure 11.10 : La fenêtre Système.

Figure 11.11 : Le groupe de travail des ordinateurs du réseau.

Définir les options de partage

1. Votre réseau connecte des ordinateurs pour qu'ils partagent des fichiers et des imprimantes. Vous devez configurer ce partage. Cliquez sur Démarrer/Panneau de configuration/Réseau et Internet.

2. Dans la fenêtre qui apparaît, cliquez sur le lien Groupe résidentiel. Dans la nouvelle fenêtre, cliquez sur le lien Modifier les paramètres de partage avancés.

3. Dans la nouvelle fenêtre, Figure 11.12, activez et désactivez des options en cliquant sur les boutons radio. Par exemple, si vous désirez partager des fichiers et des imprimantes, activez le bouton éponyme.

4. Cliquez sur le bouton Enregistrer les modifications.

Pour paramétrer les options de partage, vous devez être connecté à un réseau. Pour cela, cliquez sur l'icône de connexion à un réseau affiché dans la Zone de notification de Windows 7. Choisissez votre réseau, et cliquez sur Connexion. Le cas échéant, tapez la clé de sécurité.

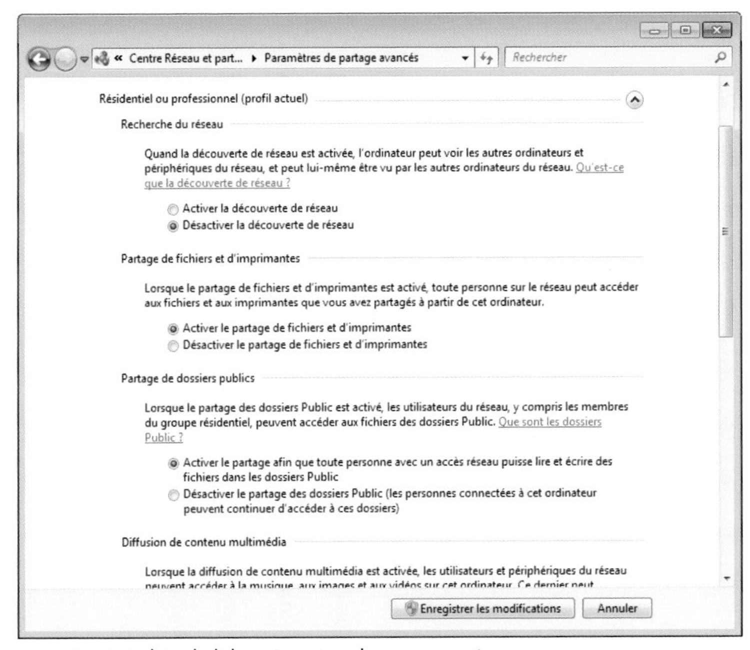

Figure 11.12 : La boîte de dialogue Paramètres de partage avancés.

Quatrième partie

Personnaliser le Bureau de Windows

"Dommage que tu ne puisses ranger tes propres affaires dans des dossiers. Ça mettrait de l'ordre dans ta chambre !"

Chapitre 12

Régler l'affichage

Vous avez choisi votre agenda à tranche dorée, votre stylo à encre luminescente et un solide attaché-case, n'est-ce pas ? Pourquoi ne choisiriez-vous pas, dans ce cas, la présentation de Windows 7 ? Après tout, c'est votre bureau virtuel, un espace que vous avez sous les yeux tout au long de la journée. Croyez-en ceux qui passent beaucoup de temps sur leur ordinateur : personnaliser son Bureau améliore la productivité tout en réduisant la fatigue oculaire.

Vous pouvez personnaliser votre bureau en :

- Configurant Windows pour afficher des images et des couleurs.
- Sélectionnant un écran de veille pour que l'ordinateur affiche de jolies animations pendant que vous ne l'utilisez pas.
- Modifiant la résolution d'écran pour qu'il affiche des images plus détaillées.
- Rendant le texte plus grand ou plus petit (le Chapitre 13 explique comment aider les malvoyants).

Définir la résolution de l'écran

1. Cliquez du bouton droit sur le Bureau et, dans le menu contextuel, choisissez Personnaliser. Cliquez sur le lien Modifier la résolution de l'écran.
2. Dans la fenêtre Modifier l'apparence de votre affichage, cliquez sur la flèche de la liste Résolution.
3. Actionnez la glissière Résolution vers Elevé ou Bas (Figure 12.1). Vous pouvez aussi modifier l'orientation de l'affichage en le sélectionnant dans la liste éponyme.
4. Cliquez sur OK pour accepter la nouvelle résolution.

Une résolution élevée, comme 1 680 x 1 050 pixels, produit des images très fines, mais avec des textes ou des détails parfois difficiles à discerner, car très petits. Quand la résolution est faible (800 x 600 pixels), les éléments apparaissent grossis, avec une pixellisation très visible.

Le lien Paramètres avancés ouvre une boîte de dialogue où vous pouvez gérer la couleur et les paramètres de votre écran.

Sachez que de nombreux logiciels possèdent une fonction Zoom qui évite d'avoir à modifier la résolution pour mieux voir des éléments.

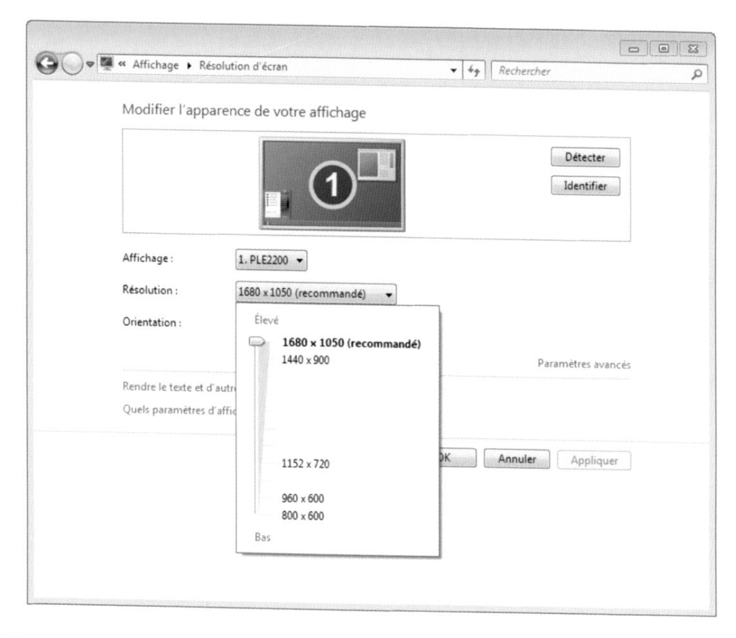

Figure 12.1 : La boîte de dialogue Résolution d'écran.

Modifier l'arrière-plan du Bureau

1. Cliquez du bouton droit sur le Bureau et, dans le menu contextuel, choisissez Personnaliser.
2. Dans la boîte de dialogue Personnalisation, cliquez sur le lien Arrière-plan du Bureau. Vous accédez au contenu illustré à la Figure 12.2.
3. Sélectionnez une catégorie d'arrière-plan dans la liste Emplacement de l'image (Figure 12.3). Ensuite, cliquez sur l'image à utiliser. Elle apparaît aussitôt sur le Bureau.
4. Cliquez sur le bouton Enregistrer les modifications, et fermez cette boîte de dialogue.

Si vous appliquez un thème, comme nous l'expliquons à la tâche suivante, il supplantera tout ce qui a été défini ici. Amusez-vous à tester les diverses possibilités de personnalisation de l'arrière-plan de votre Bureau. Si les paramètres ainsi définis vous plaisent, enregistrez-les en tant que thème personnalisé. Pour cela, cliquez sur le lien Enregistrer le thème de la fenêtre Personnalisation.

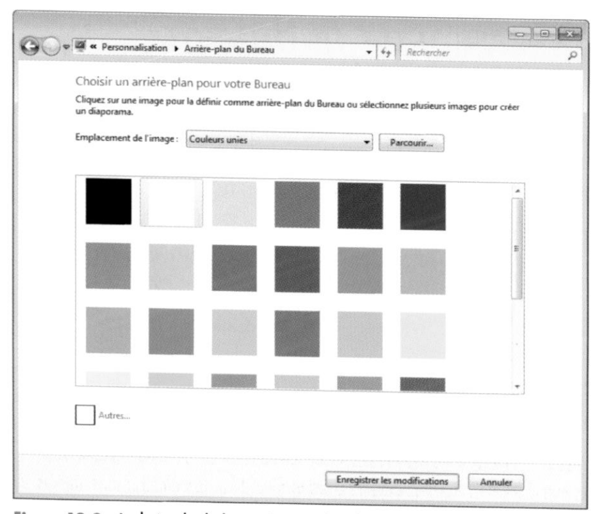

Figure 12.2 : La boîte de dialogue Arrière-plan du Bureau.

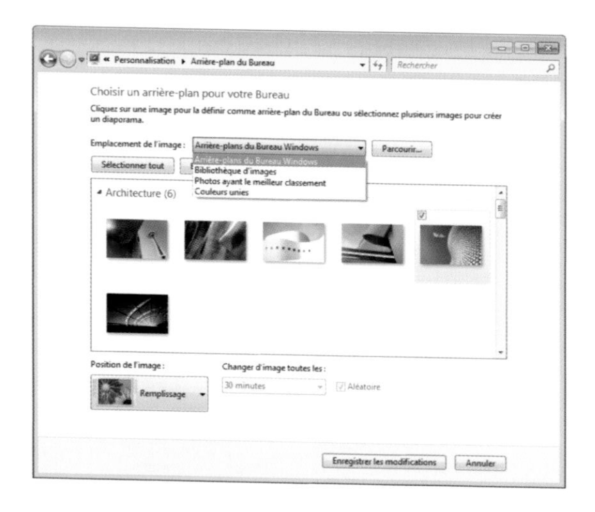

Figure 12.3 : Choisissez une catégorie d'arrière-plans.

Choisir un thème pour le Bureau

1. Cliquez du bouton droit sur le Bureau et, dans le menu contextuel, choisissez Personnaliser.
2. Dans la boîte de dialogue Personnalisation de la Figure 12.4, sélectionnez un thème. Vous avez le choix entre :
   - Mes thèmes qui appliquent vos paramètres personnalisés et ceux que vous avez enregistrés comme paramètres prédéfinis.
   - Les thèmes Windows qui utilisent des catégories comme Architecture, Nature, Paysages, Personnages, Scènes et Windows 7.
   - Thèmes de base et à contraste élevé qui améliorent la visibilité du Bureau.
3. Cliquez sur le bouton de fermeture (X) de la boîte de dialogue pour appliquer le thème sélectionné.

Un thème contient l'apparence des menus, les motifs et couleurs de l'arrière-plan, le type de pointeur de la souris et les sons de Windows. Dès que vous modifiez l'un de ces éléments, il remplace celui utilisé précédemment.

Pour enregistrer un thème personnalisé, allez dans la boîte de dialogue Apparence et personnalisation. Cliquez sur Enregistrer le thème. Dans la boîte de dialogue qui apparaît, nommez le thème, puis cliquez sur Enregistrer. Il apparaîtra désormais dans la liste des thèmes.

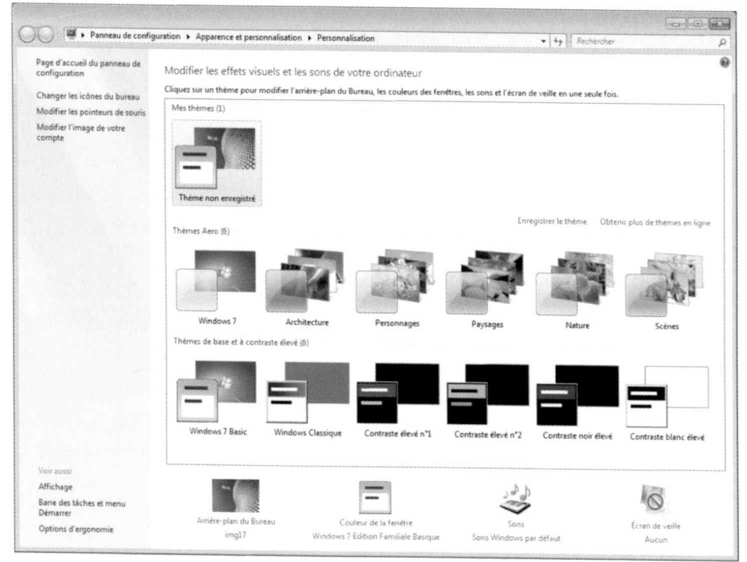

Figure 12.4 : Choisissez un des thèmes.

Configurer un écran de veille

1. Cliquez du bouton droit sur le Bureau et, dans le menu contextuel, choisissez Personnaliser. Cliquez ensuite sur le lien Écran de veille pour accéder à la fenêtre de la Figure 12.5.
2. Choisissez un écran de veille dans le menu éponyme.
3. Cliquez sur les boutons fléchés de Délai *x* minutes pour définir le nombre de minutes d'inactivité de l'ordinateur avant l'affichage de l'écran de veille.
4. Cliquez sur le bouton Aperçu (Figure 12.6) pour tester l'écran de veille en situation. S'il vous convient, cliquez sur OK.

Aussi appelés « économiseurs d'écran », les écrans de veille ont été conçus pour protéger le revêtement phosphorescent lorsqu'une image est longuement affichée. Ils sont désormais inutiles avec les écrans récents, mais les utilisateurs s'y sont attachés. Un écran de veille est aussi commode pour cacher le travail en cours aux yeux des indiscrets, lorsque vous vous éloignez de l'ordinateur. Pour ne pas utiliser d'écran de veille, choisissez Aucun dans la liste Écran de veille.

Certains écrans de veille sont paramétrables. Vous pouvez, par exemple, définir la vitesse à laquelle ils tracent des lignes ou le nombre de ces lignes. Pour cela, il suffit de cliquer sur le bouton Paramètres de la boîte de dialogue Paramètres de l'écran de veille.

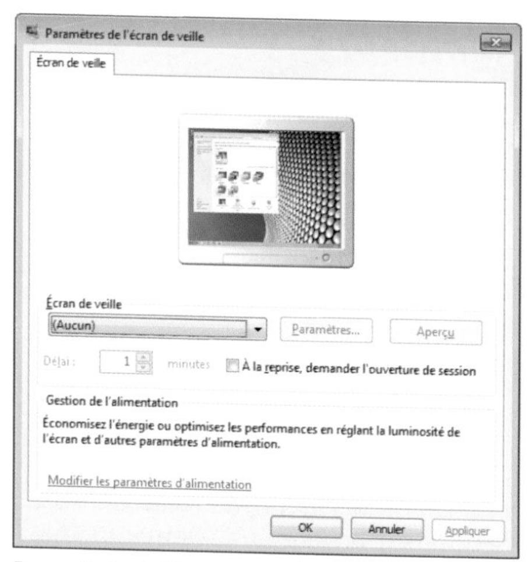

Figure 12.5 : Choisissez un écran de veille.

Modifier le jeu de couleurs de Windows 7

1. Cliquez du bouton droit sur le Bureau et, dans le menu contextuel, choisissez Personnaliser.
2. Dans la boîte de dialogue qui apparaît, cliquez sur Couleur de la fenêtre. La boîte de dialogue de la Figure 12.6 apparaît.
3. Dans le menu local Élément, cliquez sur chaque élément dont vous désirez modifier la couleur. Ensuite, sélectionnez une couleur dans les nuanciers Couleur et Couleur 2. Quand l'élément sélectionné contient du texte, définissez sa police, sa taille, et sa couleur.
4. Cliquez sur OK pour fermer la boîte de dialogue Couleur et apparence des fenêtres. Cliquez sur le bouton de fermeture de la boîte de dialogue Personnalisation.

Lorsque vous personnalisez un jeu de couleurs, sachez que tous les éléments visibles à l'écran ne sont pas forcément modifiables. Par exemple, l'élément Titre de palette ne permet pas de modifier la couleur de la police.

Certaines couleurs sont plus sensibles à l'œil que d'autres. Par exemple, le vert est plus reposant que le orange. Choisissez un thème qui ne fatigue pas les yeux.

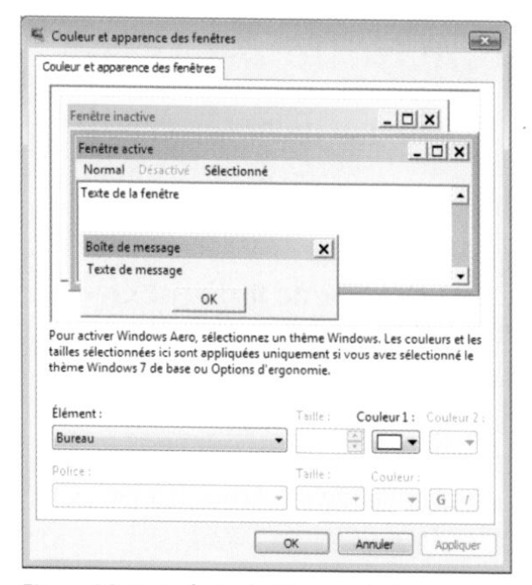

Figure 12.6 : La boîte de dialogue Couleur et apparence des fenêtres.

Augmenter ou réduire la taille du texte

1. Cliquez sur Démarrer/Panneau de configuration/Apparence et personnalisation. Dans la section Affichage, cliquez sur le lien Rendre le texte et d'autres éléments plus petits ou plus grands.
2. Dans la fenêtre Affichage qui apparaît (Figure 12.7), activez le bouton radio correspondant à votre taille de texte préférée. Petite est l'option active par défaut. Vous pouvez opter pour Moyenne, c'est-à-dire une augmentation de 25 %, et pour Grande, soit une augmentation de 50 %.
3. Cliquez sur Appliquer. Le cas échéant, cliquez sur Fermer la session, puis ouvrez de nouveau votre compte. Admirez la nouvelle taille des polices de l'interface (Figure 12.8).

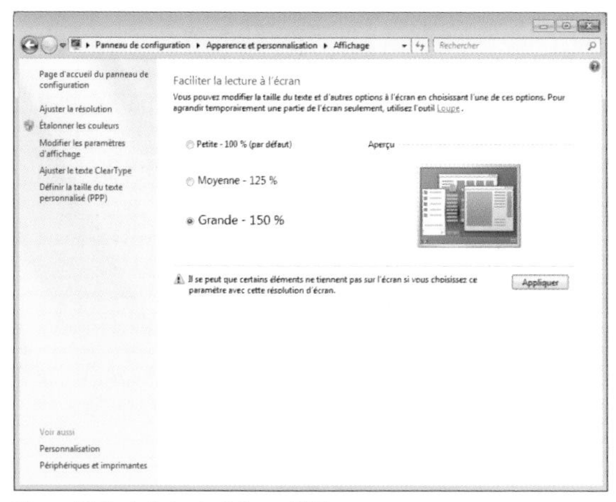

Figure 12.7 : La boîte de dialogue Affichage.

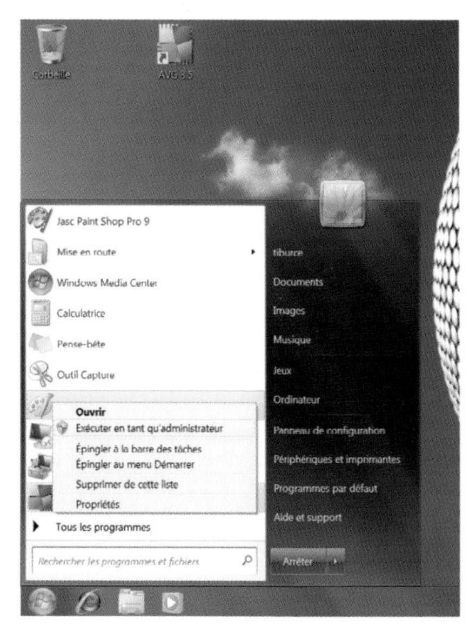

Figure 12.8 : Le texte apparaît bien plus gros.

Chapitre 13

Faciliter l'utilisation de Windows

Tout le monde n'a malheureusement pas le bonheur ou la chance de bénéficier de toutes les capacités qu'offre habituellement la nature. Des déficiences sensorielles ou motrices peuvent entraver sévèrement l'usage de l'ordinateur.

Windows a cependant été conçu pour résoudre, autant que faire se peut, les divers handicaps dont aucun de nous n'est à l'abri. Il peut être personnalisé pour :

- Faciliter la lecture de l'écran en augmentant le contraste ou en recourant au Narrateur pour qu'il lise ce qui est affiché.
- Utiliser la reconnaissance vocale pour commander l'ordinateur ou saisir des données sans passer par le clavier.
- Modifier la souris pour les gauchers ou en rendre le curseur beaucoup plus visible.
- Modifier les caractéristiques du clavier afin de le rendre plus ergonomique à ceux qui ont du mal à l'utiliser, notamment ceux souffrant d'un syndrome du canal carpien ou d'arthrite.

Optimiser l'affichage

1. Cliquez sur Démarrer/Panneau de configuration.
2. Dans le Panneau de configuration, à la rubrique Options d'ergonomie, cliquez sur le lien Optimiser l'affichage.
3. Dans la boîte de dialogue Améliorer la lisibilité de l'ordinateur (Figure 13.1), cochez les cases des fonctions à utiliser :
   - **Contraste élevé** : augmente considérablement la lisibilité des caractères colorés, quitte à sacrifier l'esthétique. Vous pouvez activer/désactiver cette fonction en appuyant sur Alt gauche + Maj gauche + Impr. écran.
   - **Étendre le texte et les descriptions lues à haute voix** : vous pouvez activer le Narrateur qui lira alors le contenu textuel de l'écran et/ou la fonction de description audio qui décrit le contenu des images vidéo.

     Agrandir les éléments affichés à l'écran : activer la loupe grossit une partie de l'écran, comme le montre la Figure 13.2. Le grossissement est réglable. Deux pointeurs sont visibles à l'écran, l'original et son double grossi. Tous deux sont actifs.
   - **Rendre les éléments à l'écran plus faciles à voir** : vous pouvez notamment agrandir le curseur clignotant (Figure 13.2), et supprimer les animations ou arrière-plans gênants.
4. Après avoir réglé l'affichage, cliquez sur Appliquer.

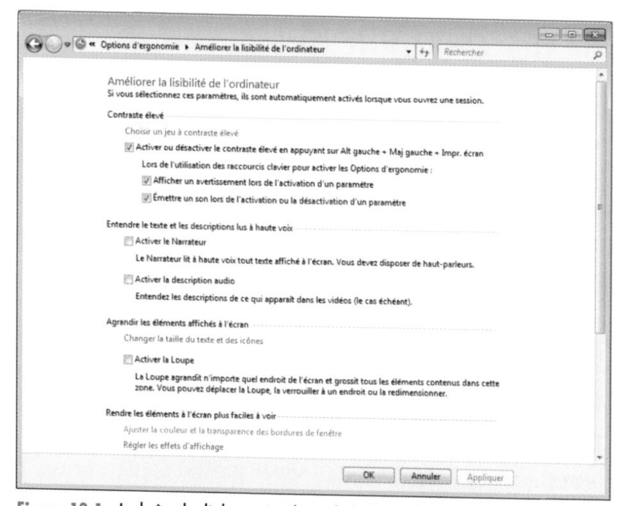

Figure 13.1 : La boîte de dialogue Améliorer la lisibilité de l'ordinateur.

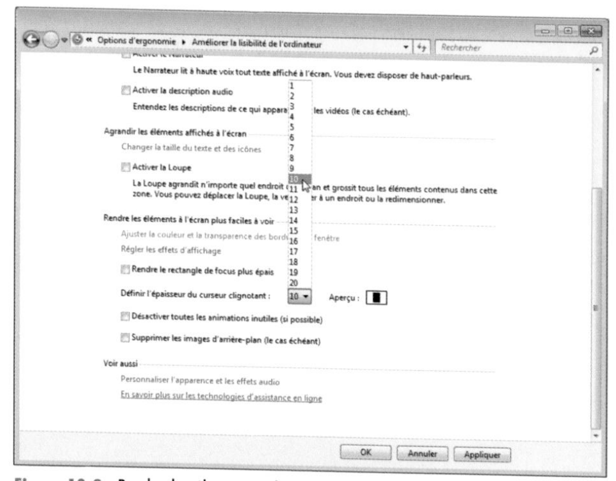

Figure 13.2 : Rendez les éléments à l'écran plus faciles à voir.

Remplacer les sons par des signaux visuels

1. Choisissez Démarrer/Panneau de configuration/Options d'ergonomie, puis cliquez sur le lien Remplacer les sons par des signaux visuels.
2. Dans la boîte de dialogue qui apparaît (Figure 13.3), réglez :
   - Activer des notifications visuelles pour les sons (son visuel) pour que Windows affiche un avertissement visuel quand il émet un signal sonore.
   - Choisir un avertissement visuel. Choisir l'élément de l'interface qui clignotera pour avertir l'utilisateur d'un événement.
   - Activer les sous-titres pour les dialogues parlés. Cette option n'est pas disponible pour toutes les applications.
3. Cliquez sur OK pour valider vos options.

Les signaux visuels sont commodes pour les sourds et malentendants qui risquent de ne pas remarquer le son prévenant qu'un périphérique est déconnecté ou accompagnant un message d'erreur ou d'alerte.

Cela semble évident, mais rappelons-le : si vous entendez mal, vous pouvez augmenter le volume sonore. Procédez-y en cliquant sur l'icône du haut-parleur dans la barre de notification, ou directement dans des programmes comme le Lecteur Windows Media (Chapitres 21). Le volume sonore est réglable en choisissant Démarrer/Panneau de configuration/Matériel et audio, puis Ajuster le volume du système.

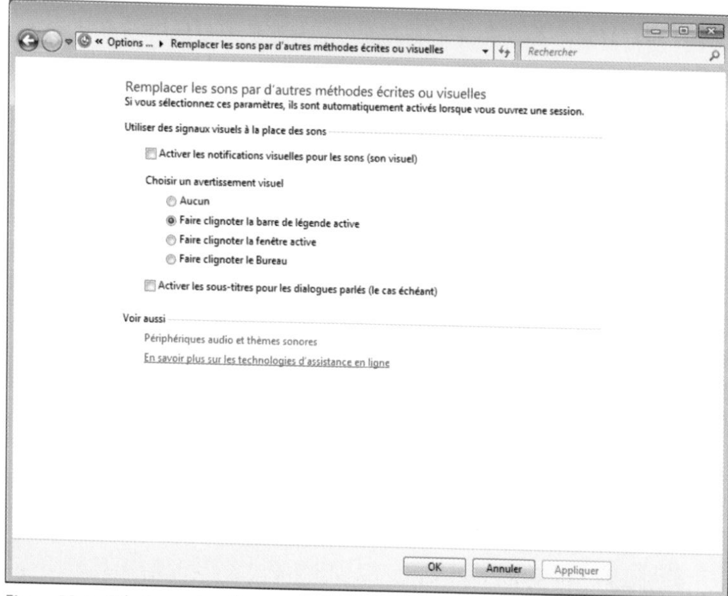

Figure 13.3 : Sélectionnez les effets visuels.

Configurer la reconnaissance vocale

1. Branchez un microphone ou un micro-casque à l'ordinateur, puis choisissez Démarrer/Panneau de configuration/Options d'ergonomie/Lancer la reconnaissance vocale.
2. La fenêtre Configurer la reconnaissance vocale apparaît. Cliquez sur Suivant (notez que si vous avez déjà utilisé la reconnaissance vocale, cette fenêtre n'apparaît plus).
3. Dans la boîte de dialogue qui apparaît (Figure 13.4), sélectionnez le type de microphone utilisé, puis cliquez sur Suivant. Une boîte de dialogue explique comment placer correctement le micro. Cliquez sur Suivant.
4. La boîte de dialogue de la Figure 13.5 apparaît. Lisez le texte à haute voix. Le réglage du microphone terminé, cliquez sur Suivant. Un message confirme la configuration du microphone. Cliquez sur Suivant.

Pendant la procédure de reconnaissance, il est recommandé d'imprimer les commandes vocales qui permettent d'effectuer certaines tâches car elles ne sont pas évidentes à mémoriser.

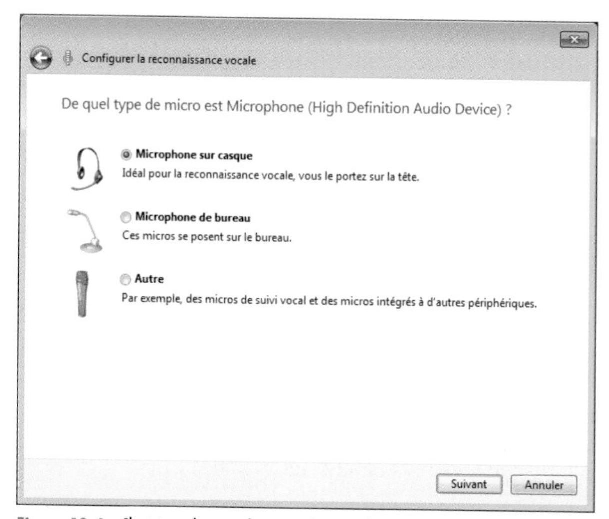

Figure 13.4 : Choisissez le type de microphone utilisé.

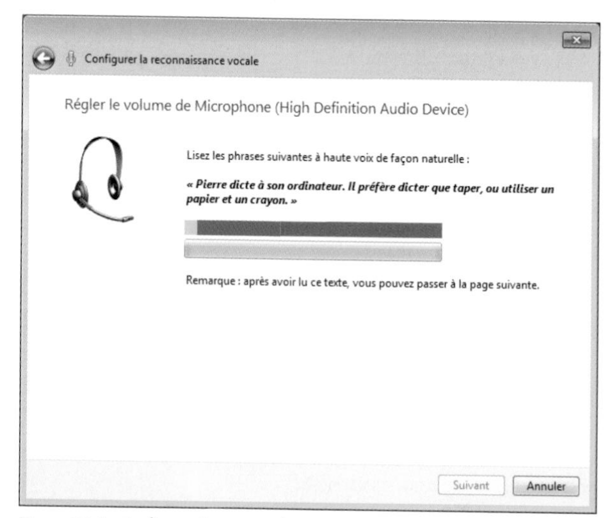

Figure 13.5 : Configurez le micro en lisant ce texte.

5. Dans la boîte de dialogue, choisissez s'il faut activer ou désactiver la révision du document. Dans le premier cas, vous autorisez Windows à lire vos documents textuels et vos courriers électroniques afin qu'il améliore sa capacité à reconnaître vos propos. Cliquez sur Suivant.
6. Dans la boîte de dialogue suivante, choisissez d'utiliser le mode d'activation manuel ou vocal. Dans le premier cas, l'activation se fait avec une souris, un stylet, ou un clavier; dans le second cas, elle se fait à la voix, ce qui est idéal pour les utilisateurs ayant des problèmes articulaires.
7. Vous pouvez à présent voir ou imprimer la fiche de référence de reconnaissance vocale, c'est-à-dire la liste des commandes comprises par l'ordinateur. Cliquez sur le bouton Afficher la fiche de référence vocale. Après l'avoir lue et éventuellement imprimée, cliquez sur le bouton Fermer, puis sur Suivant.
8. Dans la boîte de dialogue qui apparaît, conservez la coche Lancer la reconnaissance vocale au démarrage, ou décochez-la. Cliquez sur Suivant. La dernière boîte de dialogue vous informe qu'il vous est désormais possible de contrôler l'ordinateur par la voix. Un didacticiel est proposé afin de vous exercer. Cliquez sur Démarrer le didacticiel ou sur Ignorer le didacticiel pour vous en passer.
9. Le panneau de commandes de la reconnaissance vocale apparaît (Figure 13.6). Dites « Démarrer l'écoute » pour activer cette fonctionnalité et commencer à donner vocalement des ordres à l'ordinateur. Si vous avez opté pour l'activation manuelle, cliquez sur le bouton dont l'icône est un microphone. Dès lors, parlez à votre ordinateur pour lui faire exécuter des tâches.

Pour arrêter la reconnaissance vocale, cliquez sur le bouton Fermer du panneau de commande. Pour la redémarrer, choisissez Démarrer/Panneau de configuration/Options d'ergonomie/Reconnaissance vocale, puis cliquez sur le lien Démarrer la reconnaissance vocale. Pour en savoir plus sur les commandes de reconnaissance vocale, cliquez sur le lien Suivre le didacticiel de la reconnaissance vocale de la fenêtre Configurer la reconnaissance vocale.

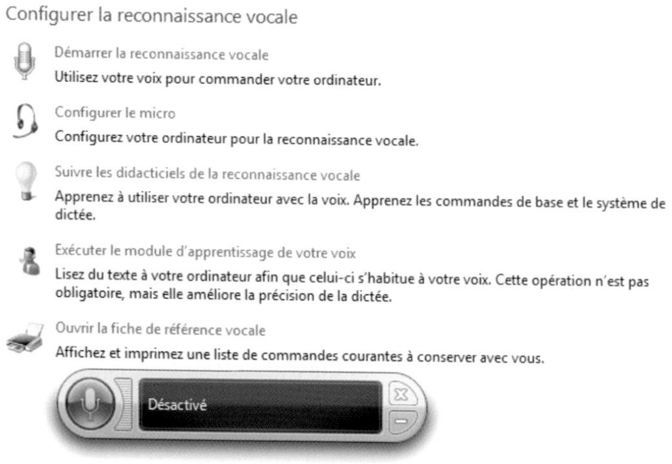

Configurer la reconnaissance vocale

Démarrer la reconnaissance vocale
Utilisez votre voix pour commander votre ordinateur.

Configurer le micro
Configurez votre ordinateur pour la reconnaissance vocale.

Suivre les didacticiels de la reconnaissance vocale
Apprenez à utiliser votre ordinateur avec la voix. Apprenez les commandes de base et le système de dictée.

Exécuter le module d'apprentissage de votre voix
Lisez du texte à votre ordinateur afin que celui-ci s'habitue à votre voix. Cette opération n'est pas obligatoire, mais elle améliore la précision de la dictée.

Ouvrir la fiche de référence vocale
Affichez et imprimez une liste de commandes courantes à conserver avec vous.

Désactivé

Figure 13.6 : L'ordinateur est prêt à exécuter ce que vous lui dites de faire.

Modifier le fonctionnement du clavier

1. Choisissez Démarrer/Panneau de configuration/ Options d'ergonomie, puis cliquez sur le lien Modifier le fonctionnement de votre clavier.
2. Dans la boîte de dialogue de la Figure 13.7, choisissez l'une ou l'autre de ces options :
   - Contrôler la souris avec le clavier. Après avoir sélectionné cette option, cliquez sur le lien Configurer les touches souris.
   - Activer la fonction de touches rémanentes afin d'exécuter une combinaison de touches en appuyant sur une seule touche.
   - Activer les touches à bascules. Vous pouvez configurer Windows pour qu'il lise un son lorsque vous appuyez sur les touches Verr. Num., Caps Lock, ou Arrêt défilement.
   - Activer les touches filtres. Permet d'ignorer ou ralentir les frappes brèves ou répétées, et régler la fréquence de répétition pendant qu'une touche est enfoncée.
   - Souligner en permanence, dans les menus, les touches d'accès rapide et de raccourci.
3. Cliquez sur OK afin de mémoriser les nouveaux paramètres.

Cliquez sur le lien En savoir plus sur les technologies d'assistance en ligne pour accéder au site web de Microsoft et découvrir des programmes complémentaires qui seront utiles à ceux souffrant de handicaps visuels ou auditifs, ou qui éprouvent des difficultés lors de la saisie au clavier.

Tous les claviers ont un toucher qui leur est propre. S'il ne réagit pas comme vous le désirez, essayez-en d'autres.

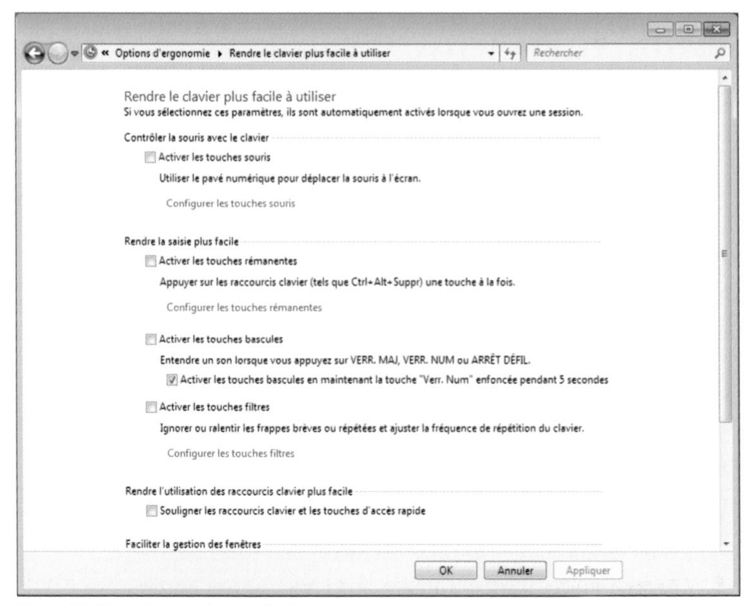

Figure 13.7 : Facilitez l'utilisation du clavier.

Le clavier visuel

1. Choisissez Démarrer/Panneau de configuration/Options d'ergonomie, puis cliquez sur le lien Centre Options d'ergonomie.
2. Dans la boîte de dialogue des options d'ergonomie (Figure 13.8), cliquez sur Activer le Clavier visuel. Le clavier en question apparaît à l'écran (Figure 13.9).
3. Ouvrez un document dans lequel vous pouvez saisir du texte, puis cliquez sur les touches du clavier visuel.

Pour combiner des touches, comme Ctrl + Z, cliquez sur la première touche (Ctrl, en l'occurrence) puis sur la seconde (Z). Il est inutile de maintenir la première touche enfoncée, comme avec un clavier réel.

4. Pour modifier le paramétrage, comme le choix du mode de la frappe ou la police affichée sur les touches, cliquez sur la touche Options, puis sélectionnez l'une des quatre options proposées par la boîte de dialogue éponyme.
5. Cliquez sur le bouton Fermer du clavier visuel pour cesser de l'utiliser.

Vous pouvez définir le mode de saisie Pointer sur les touches, grâce auquel il suffit d'immobiliser le pointeur pendant une durée déterminée pour activer la touche. Cette option s'active dans la boîte de dialogue affichée à l'étape 4 précédente. Utilisez le curseur Durée du pointage pour déterminer la durée au bout de laquelle la touche sera active quand vous laissez le pointeur de la souris dessus.

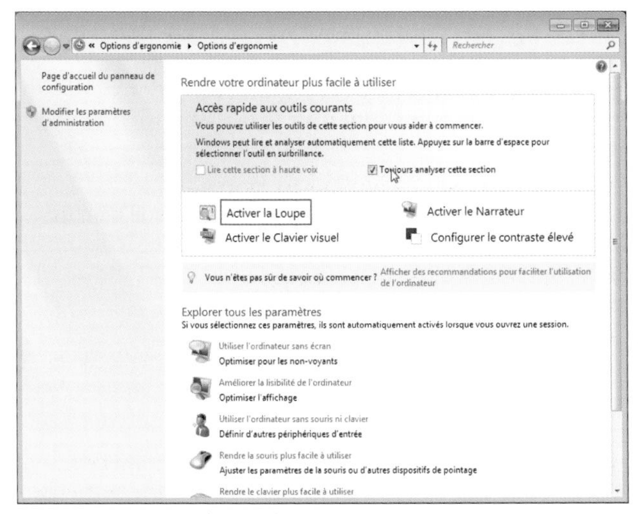

Figure 13.8 : Les options du centre d'ergonomie.

Figure 13.9 : Le clavier visuel et ses paramètres.

Modifier le fonctionnement de la souris

1. Choisissez Démarrer/Panneau de configuration/ Options d'ergonomie, puis cliquez sur le lien Modifier le fonctionnement de votre souris. La boîte de dialogue de la Figure 13.10 apparaît.
2. Pour mouvoir le pointeur à l'aide du pavé numérique, cochez la case Activer les touches souris. Cliquez ensuite sur le lien Configurer les touches souris afin de définir leurs actions.
3. Si vous le désirez, cochez la case Activer une fenêtre en pointant dessus avec la souris.
4. Cliquez sur OK pour sauvegarder vos réglages.

Vous pouvez aussi cliquer sur le lien Paramètres de la souris, en bas de la boîte de dialogue, et cocher la case Inverser les boutons principal et secondaire. Les gauchers apprécieront cette fonctionnalité, qui attribue le clic au bouton de droite, et l'accès au menu et fonctions secondaires au bouton de gauche.

Pour modifier le comportement du pointeur, dans les propriétés de la souris, cliquez sur l'onglet Options du pointeur et réglez sa vitesse, son positionnement automatique sur les boutons de la boîte de dialogue et d'autres options comme l'affichage des traces.

Si vous ne voyez pas bien le pointeur de la souris, essayez d'autres jeux de couleurs de Windows 7, à la recherche d'une configuration où le pointeur se détache bien de l'arrière-plan. Reportez-vous au Chapitre 12 pour configurer le jeu de couleurs de votre ordinateur.

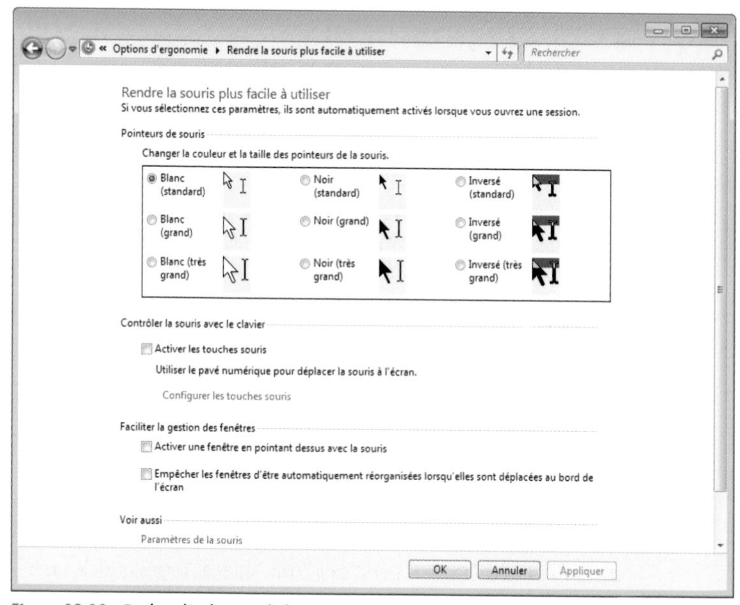

Figure 13.10 : Facilitez l'utilisation de la souris.

Modifier le curseur

1. Choisissez Démarrer/Panneau de configuration/ Options d'ergonomie, puis cliquez sur le lien Modifier le fonctionnement de votre souris. Enfin, cliquez sur le lien Paramètres de la souris dans la section Voir aussi.
2. Dans la boîte de dialogue Propriétés de : Souris, cliquez sur l'onglet Pointeurs (Figure 13.11). Cliquez sur un modèle de curseur afin de le sélectionner, comme le montre la Figure 13.11. Cliquez alors sur Parcourir. Dans la boîte de dialogue qui apparaît, sélectionnez le curseur qui remplacera celui que vous avez sélectionné. Validez par un clic sur Ouvrir.
3. Cliquez sur Appliquer pour tester le nouveau curseur, puis sur OK pour quitter la boîte de dialogue.

Dans les propriétés de la souris, ne remplacez pas un pointeur de souris standard par un curseur servant à autre chose, comme le sablier, car un autre utilisateur du PC serait décontenancé par ce choix. Pour rétablir le curseur habituel, cliquez sur le bouton Par défaut, sous l'onglet Pointeurs.

NdT : pointeur ou curseur ? Les deux termes sont souvent confondus. Le *pointeur* est la flèche que vous déplacez en actionnant la souris. Le *curseur* est un élément clignotant (souvent une barre d'insertion) placé dans une application pour indiquer où commence la saisie.

Pour choisir la couleur et la taille des pointeurs de la souris, activez un type de pointeur particulier dans la boîte de dialogue Rendre la souris plus facile à utiliser. Le choix dépend essentiellement du jeu de couleurs que vous avez appliqué à Windows 7.

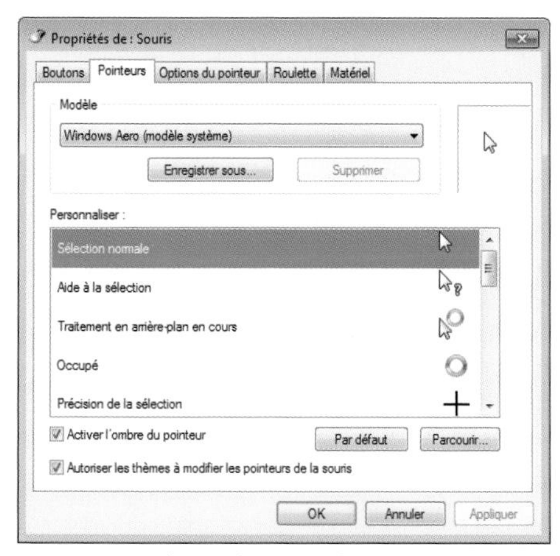

Figure 13.11 : Changez de pointeur de souris.

Cinquième partie

Sécurité et maintenance

"Je ne comprends vraiment pas pourquoi ça diagnostique une surchauffe matériel, ça devient vraiment l'enfer l'informatique !"

Chapitre 14

Définir les mots de passe et l'accès aux fichiers

Après avoir travaillé un moment avec Windows 7 et les logiciels que vous y avez installés, vous vous retrouverez avec un bel ensemble d'informations et de documents. Afin de préserver leur confidentialité, chez vous ou au travail, Windows propose diverses fonctionnalités :

- Des mots de passe pour éviter que des indiscrets accèdent à l'ordinateur en votre absence.
- Des dossiers partagés et publics, seuls accessibles au travers du réseau, à l'exclusion de tous les autres. Les dossiers partagés et publics sont aussi à la disposition des comptes d'utilisateurs d'un même ordinateur.
- La protection de l'intégrité d'un fichier en ne l'autorisant qu'en lecture seule (il est impossible d'enregistrer des modifications) ou en le soustrayant à la vue des autres.
- La création de comptes d'utilisateurs afin que chaque personne utilisant l'ordinateur puisse le configurer à sa manière. Le contrôle parental assure la sécurité des plus jeunes lorsqu'ils explorent l'ordinateur et l'Internet.

Modifier le mot de passe de Windows

1. Choisissez Démarrer/Panneau de configuration/Comptes d'utilisateurs et protection des utilisateurs.
2. Dans la boîte de dialogue de la Figure 14.1, cliquez sur le lien Modifier votre mot de passe Windows. Si plusieurs comptes sont définis sur l'ordinateur, cliquez sur Gérer un autre compte, puis cliquez sur le compte pour lequel vous désirez définir un mot de passe. Cliquez sur le lien Créer un mot de passe.
3. Dans la boîte de dialogue Créer votre mot de passe (Figure 14.2), entrez le mot de passe, confirmez-le et indiquez un pense-bête.
4. Cliquez sur le bouton Créer un mot de passe.
5. Vous revenez à la fenêtre précédente. Si vous voulez un jour supprimer un mot de passe, cliquez sur le lien Supprimer votre mot de passe.
6. Cliquez sur le bouton Fermer.

Si vous avez oublié le mot de passe, le pense-bête devrait vous aider à le retrouver. Sachez toutefois que quiconque utilisant l'ordinateur peut voir ce pense-bête. Si tout le monde sait quelle est votre voiture et que le pense-bête est « La marque de ma voiture », la protection sera aussi efficace qu'un tee-shirt en pleine tempête.

Un mot de passe peut être modifié à tout moment dans la fenêtre des comptes d'utilisateurs. Le nom du compte d'utilisateur est également modifiable.

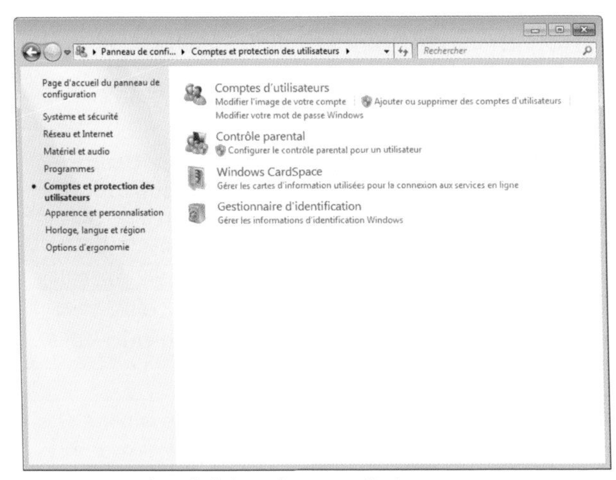

Figure 14.1 : La boîte de dialogue des comptes d'utilisateurs.

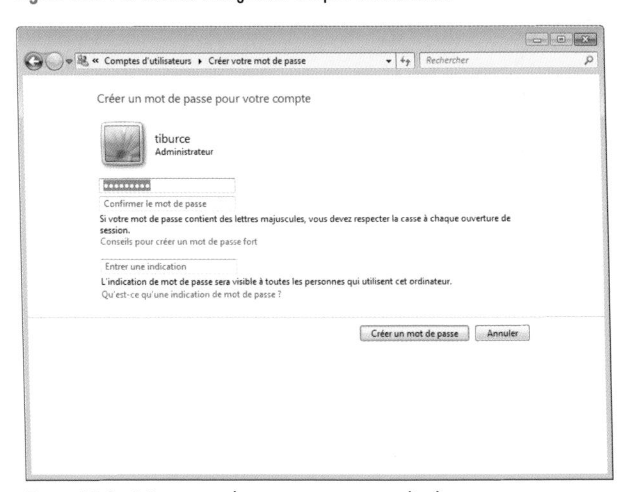

Figure 14.2 : Créez un mot de passe pour ce compte d'utilisateur.

Autoriser l'accès au dossier Public

1. Choisissez Démarrer/Panneau de configuration/Réseau et Internet.
2. Dans la fenêtre qui apparaît, cliquez sur la catégorie Centre Réseau et partage. Dans la boîte de dialogue du Centre réseau et partage, cliquez sur le lien Modifier les paramètres de partage avancés situé dans le volet de gauche. Vous accédez à la boîte de dialogue Paramètres de partage avancés (Figure 14.3). Vous pouvez alors choisir ce qui sera ou non partagé sur le réseau.
3. Cliquez sur le bouton Enregistrer les modifications, puis sur le bouton Fermer du Panneau de configuration.

Le chemin du dossier Public est C :\Utilisateurs\Public. Dans ce dossier, vous pouvez placer des fichiers qui seront partagés sur le réseau tout en préservant la confidentialité de vos autres documents (hors dossier Public).

Même si vous autorisez le partage de l'imprimante, les pilotes de cette imprimante – autrement dit son logiciel – devront être installés dans tous les ordinateurs qui doivent l'utiliser. Reportez-vous au Chapitre 10 pour en savoir plus sur les imprimantes.

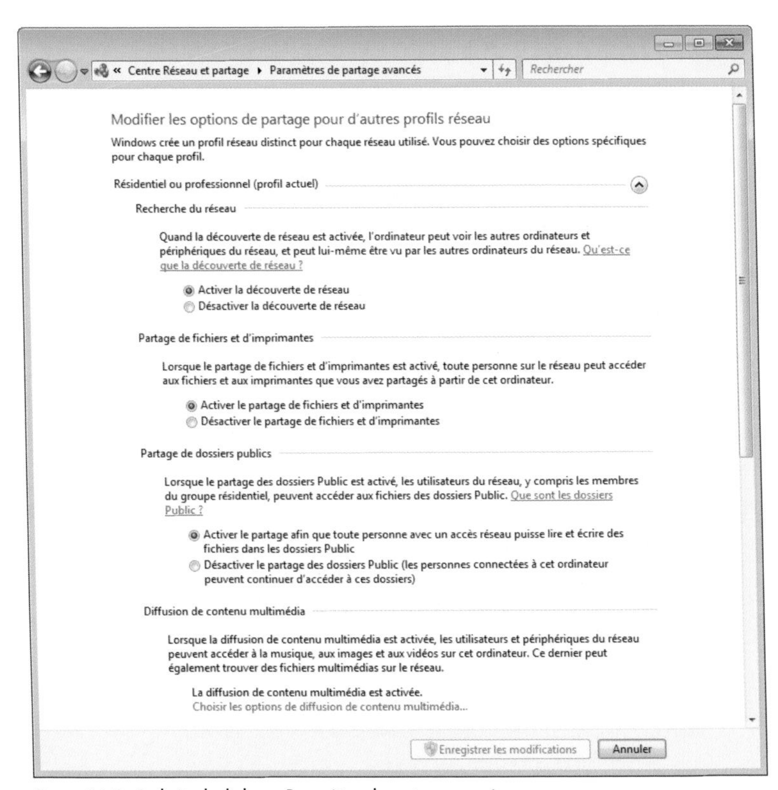

Figure 14.3 : La boîte de dialogue Paramètres de partage avancé.

Configurer les dossiers partagés

1. Utilisez l'Explorateur Windows pour localiser le dossier à partager. Pour cela, faites un clic droit sur le bouton Démarrer, et choisissez Ouvrir l'Explorateur Windows.
2. Cliquez du bouton droit sur le dossier dont vous autorisez l'accès et, dans le menu contextuel, choisissez Partager avec. Choisissez Des personnes spécifiques (Figure 14.4).
3. Dans la boîte de dialogue Partage de fichiers (Figure 14.5), déroulez le menu pour sélectionner un utilisateur auquel vous octroyez l'accès, puis cliquez sur Ajouter.
4. Cliquez sur le bouton Partager. Une barre de progression indique l'évolution de la configuration de la procédure de partage. Une fois la procédure terminée, la boîte de dialogue Votre dossier est partagé apparaît.
5. Cliquez sur Terminé.

Reportez-vous au Chapitre 3 pour en savoir plus sur l'Explorateur Windows.

La procédure décrite ici peut aussi servir à partager des fichiers. Vous avez aussi le droit de changer d'avis : pour ne plus permettre à un utilisateur d'accéder à un dossier partagé, sélectionnez-le dans la liste du partage de la boîte de dialogue Partage de fichiers. Ouvrez sa liste dans la colonne Niveau d'autorisation, puis cliquez sur Supprimer.

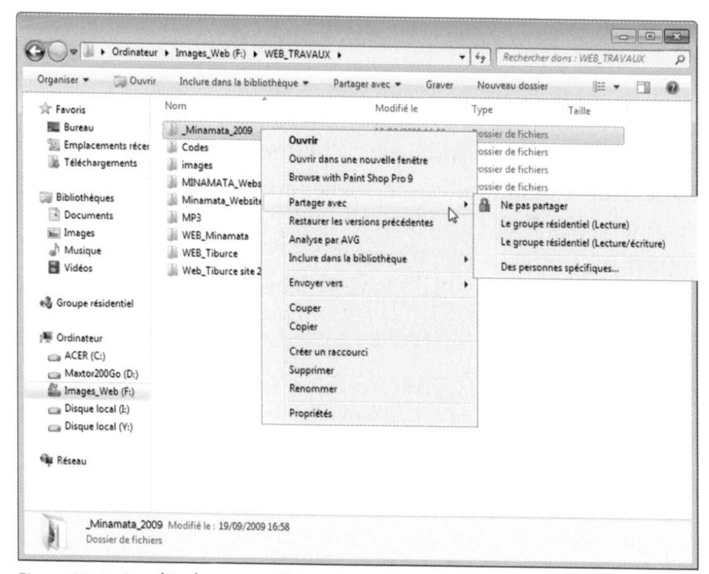

Figure 14.4 : Dans l'Explorateur Windows, définissez le partage du contenu d'un dossier.

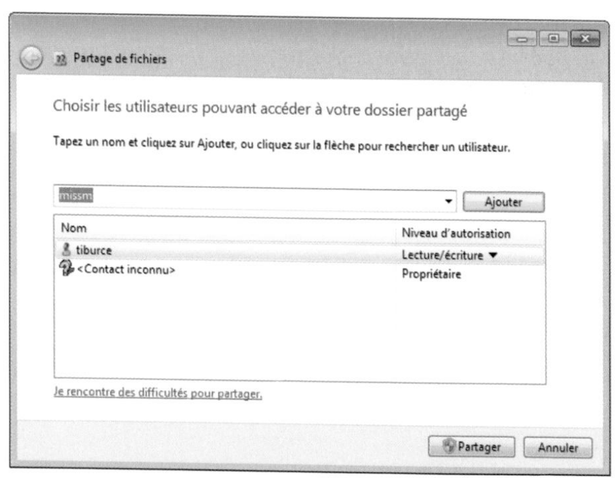

Figure 14.5 : Indiquez le(s) utilisateur(s) pouvant partager ce dossier.

Définir les attributs de fichier

1. Utilisez l'Explorateur Windows pour localiser le fichier à modifier. Pour cela, faites un clic droit sur le bouton Démarrer et choisissez Ouvrir l'Explorateur Windows.
2. Cliquez du bouton droit sur le fichier et choisissez Propriétés.
3. Dans la boîte de dialogue des Propriétés de *nom du fichier,* cliquez sur l'onglet Général (Figure 14.6).
4. Cochez la case Lecture seule et/ou Caché.
5. Cliquez sur OK pour accepter les nouveaux paramètres.

Pour voir les fichiers marqués comme cachés, ouvrez leur dossier dans l'Explorateur Windows. Cliquez sur le bouton Organiser et choisissez Options des dossiers et de recherche. Cliquez sur l'onglet Affichage et, dans la liste Paramètres avancés, sélectionnez le bouton d'option Afficher les fichiers, dossiers, et lecteurs cachés. Cliquez sur OK. Sachez que tous les dossiers cachés de l'ordinateur sont ainsi révélés, et pas seulement ceux du dossier en question.

Dans la boîte de dialogue Propriétés, vous pouvez spécifier la manière dont le volet de navigation de l'Explorateur Windows va afficher les dossiers. Vous avez le choix entre Afficher tous les dossiers et Développer automatiquement jusqu'au dossier actif.

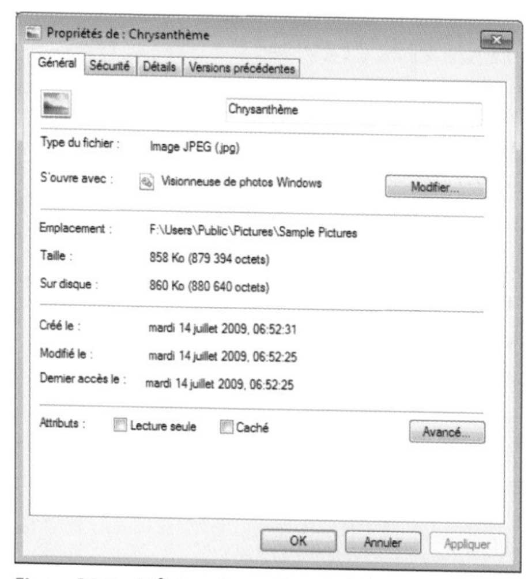

Figure 14.6 : Définissez les attributs du fichier.

Créer un nouveau compte d'utilisateur

1. Choisissez Démarrer/Panneau de configuration.
2. Dans la fenêtre qui apparaît, à la rubrique Comptes d'utilisateurs et protection des utilisateurs, cliquez sur le lien Ajouter ou supprimer des comptes d'utilisateurs.
3. Dans la boîte de dialogue Gérer les comptes (Figure 14.7), cliquez sur Créer un nouveau compte.
4. Dans la boîte de dialogue de la Figure 14.8, nommez le compte d'utilisateur et choisissez le type :
   - **Administrateur** : il a accès à l'ensemble de l'ordinateur. Il peut créer et supprimer des comptes d'utilisateurs, et installer des programmes et du matériel.
   - **Utilisateur standard** : il ne peut qu'utiliser l'ordinateur, mais n'a pas les prérogatives d'un administrateur.
5. Cliquez sur le bouton Créer un compte. Fermez ensuite le Panneau de configuration.

Après avoir créé un compte, vous pouvez le modifier – pour lui attribuer un mot de passe ou en changer le type – en double-cliquant sur l'image du compte, à l'Étape 4, et en choisissant ensuite l'une des options proposées.

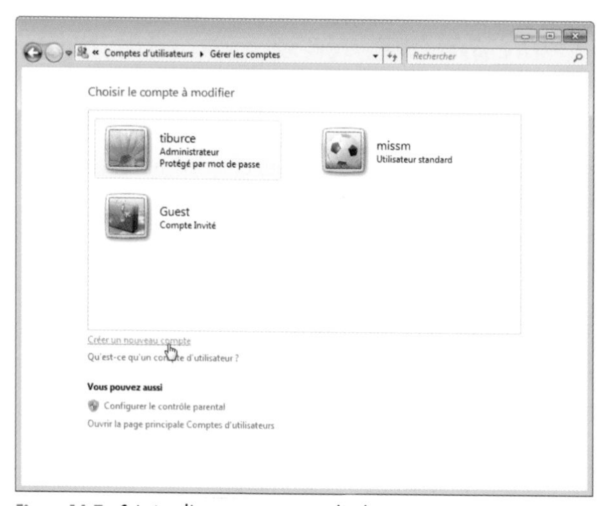

Figure 14.7 : Création d'un nouveau compte d'utilisateur.

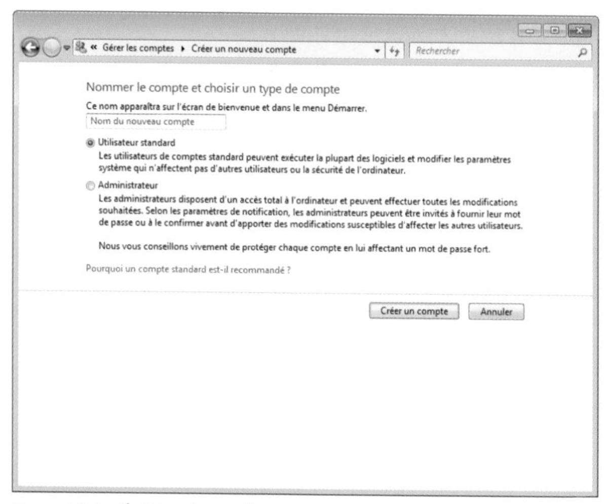

Figure 14.8 : Choisissez le type de compte.

Changer d'utilisateur

1. Cliquez sur Démarrer, puis sur le bouton fléché à droite du bouton Arrêter (Figure 14.9).
2. Choisissez Changer d'utilisateur et, dans l'écran d'accueil qui apparaît, cliquez sur le compte d'utilisateur à ouvrir.
3. Si le compte d'utilisateur est protégé par un mot de passe, tapez-le, puis cliquez sur le bouton fléché pour ouvrir la session.
4. Windows 7 ouvre une session pour l'utilisateur spécifié.

Vous pouvez modifier l'image d'un compte d'utilisateur. Choisissez Démarrer/Panneau de configuration/Ajouter ou supprimer des comptes d'utilisateurs, puis cliquez sur le compte à modifier. Dans la fenêtre qui apparaît, cliquez sur Modifier l'image. Sélectionnez une image prédéfinie ou cliquez sur Rechercher d'autres images pour choisir une de vos photos.

Si vous avez oublié le mot de passe d'un compte, Windows affiche le pense-bête qui permet de le retrouver.

Vous pouvez définir plusieurs comptes pour vous-même : un compte privé, un compte professionnel, *etc.*, et protéger ainsi la confidentialité de chacun de vos domaines d'activité.

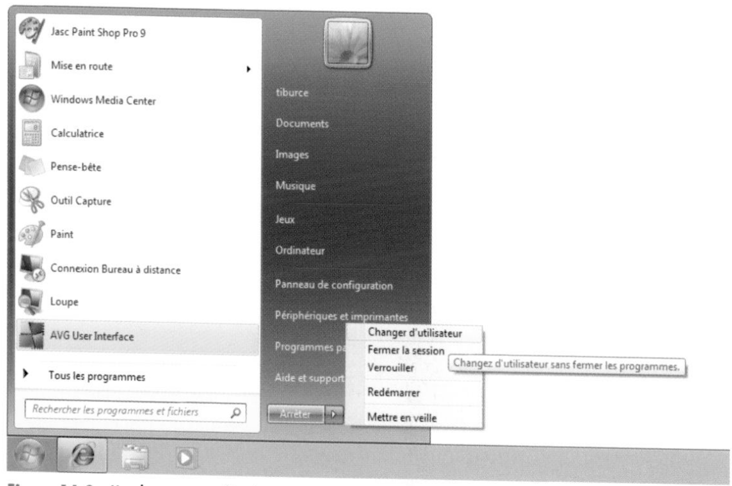

Figure 14.9 : Un changement d'utilisateur se prépare.

Configurer le contrôle parental

1. Choisissez Démarrer/Panneau de configuration/Comptes et protection des utilisateurs. Cliquez sur le lien Configurer le contrôle parental pour un utilisateur. Dans la boîte de dialogue qui apparaît (Figure 14.10), cliquez sur l'utilisateur à contrôler.
2. Dans la boîte de dialogue de la Figure 14.11, cliquez sur le bouton radio Activé; les paramètres actuels sont appliqués.
3. Activez tout ou partie des options Limites horaires, Jeux, Autoriser et bloquer des programmes spécifiques. Cela permet de définir quand et pendant combien de temps un enfant va pouvoir utiliser l'ordinateur, ainsi que contrôler son niveau d'accès à certains jeux, programmes, et sites web.
4. Cliquez sur OK puis fermez la fenêtre du contrôle parental. Si le compte contrôlé est déjà ouvert, le contrôle parental prendra effet à sa prochaine ouverture de session; dans ce cas, redémarrez l'ordinateur pour appliquer aussitôt le contrôle parental.

Au Chapitre 7, vous trouverez des informations complémentaires sur les paramètres et les fonctionnalités d'Internet Explorer.

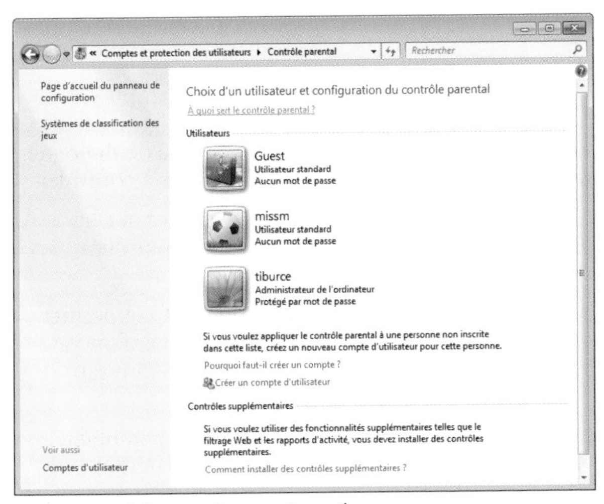

Figure 14.10 : Sélectionnez le compte à contrôler.

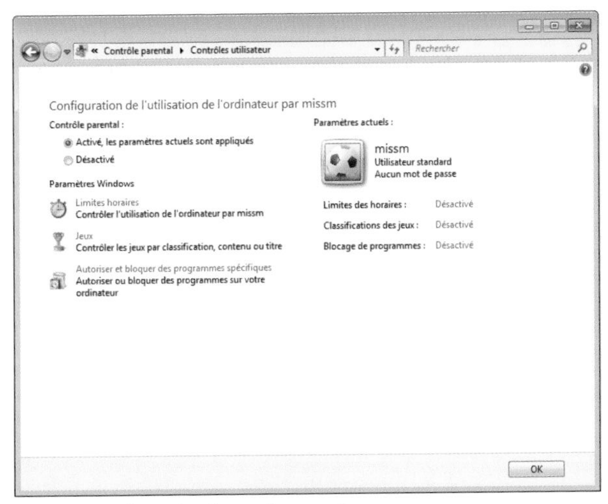

Figure 14.11 : Paramétrez le contrôle parental.

Chapitre 15

Protéger Windows

Microsoft fournit un certain nombre de fonctions de sécurité qui permettent d'assurer la confidentialité et la protection de vos informations privées que ce soit personnelles ou professionnelles. Pour bénéficier d'une sécurité renforcée, vous devrez :

- **Définir des zones dans Internet Explorer** : Indiquez les sites de confiance, à partir desquels des fichiers peuvent être téléchargés en toute sécurité, et des sites sensibles desquels il ne faut surtout rien télécharger.
- **Veiller que les protections soient à jour** : En activant le pare-feu pour empêcher les intrusions malveillantes et en maintenant Windows à jour, vous éviterez divers types d'attaques contre vos données. Windows peut aussi vous dire si votre ordinateur est protégé par un programme antivirus.
- **Utiliser Windows Defender** : Nouveauté de Vista, Windows Defender protège l'ordinateur des espiogiciels. Ils s'introduisent au travers de programmes que vous téléchargez, après quoi des fenêtres publicitaires indésirables apparaissent dans Internet Explorer.

Définir les sites Web de confiance et sensibles

1. Cliquez sur l'icône Internet Explorer affichée à droite du bouton Démarrer. Vous lancez votre navigateur Web.
2. Si nécessaire, appuyez sur la touche Alt puis choisissez Outils/ Internet.
3. Dans la boîte de dialogue Options Internet (Figure 15.1), cliquez sur l'onglet Sécurité.
4. Cliquez sur l'icône Sites de confiance, puis sur le bouton Sites.
5. Dans la boîte de dialogue Sites de confiance, entrez l'adresse d'un site de confiance dans le champ Ajouter ce site Web à la zone.
6. Cliquez sur le bouton Ajouter (Figure 15.2).
7. Pour ajouter d'autres sites, répétez les Étapes 5 et 6.
8. Cliquez ensuite sur Fermer puis sur OK.
9. Répétez les Étapes 1 à 7, mais cette fois après avoir cliqué sur l'icône Sites sensibles, et entrez les sites auxquels l'ordinateur ne devrait pas accéder. Validez à chaque fois chacune de vos modifications en cliquant sur le bouton Appliquer.

Si la case Exiger un serveur sécurisé (https) pour tous les sites de cette zone est cochée, seuls les sites sécurisés dont l'adresse commence par https seront acceptés.

Dans les options Internet, sous l'onglet Confidentialité, vous pouvez régler le niveau d'acceptation des *cookies*. Ces derniers sont des petits fichiers de texte que le site Web utilise pour connaître vos activités sur les pages et vous reconnaître lorsque vous y retournez. Les sites approuvés sont ceux dont vous pouvez accepter des cookies. Ceux des sites sensibles ne sont jamais acceptés.

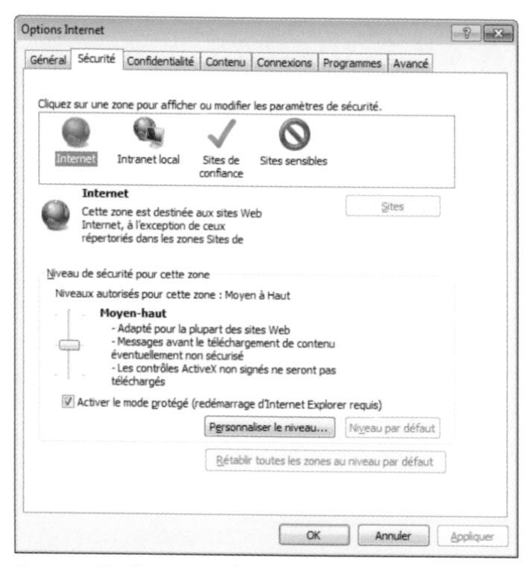

Figure 15.1 : Les options de sécurité Internet.

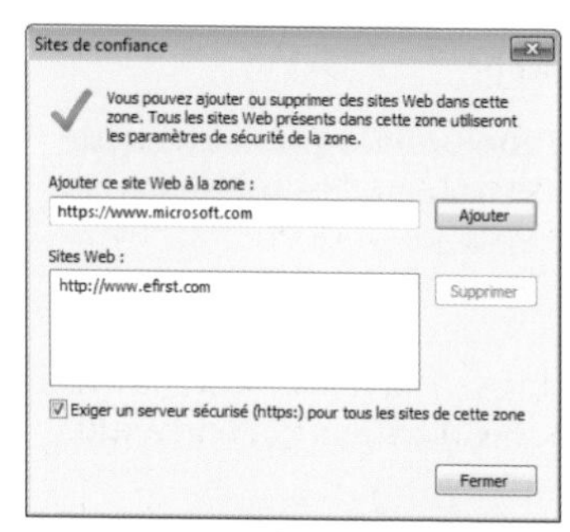

Figure 15.2 : Entrez les sites de confiance.

Activer le pare-feu de Windows

1. Choisissez Démarrer/Panneau de configuration/Vérifier l'état de sécurité de cet ordinateur.
2. Dans la fenêtre Pare-feu Windows (Figure 15.3), assurez-vous que l'option Pare-feu est activée (apparait en vert). Sinon, cliquez sur le lien Activer ou désactiver le pare-feu Windows, dans le volet de gauche.
3. Dans la fenêtre Personnaliser les paramètres, cliquez sur le bouton radio Activer le Pare-feu Windows. Cliquez ensuite sur OK.
4. Cliquez sur le bouton Fermer pour quitter le Centre de sécurité Windows et le Panneau de configuration.

Un *pare-feu* est un programme qui protège l'ordinateur des intrusions provenant de l'Internet. C'est une bonne précaution, sauf si un VPN (*Virtual Private Network*, réseau virtuel privé) a été configuré. Dans ce cas, vous risquez de ne pas pouvoir partager de fichiers ni d'utiliser certaines fonctionnalités du VPN.

Des antivirus et autres programmes de sécurité peuvent posséder leur propre pare-feu, et demander si vous désirez l'adopter. Comparez leurs fonctionnalités avec celui de Windows. Le plus important est qu'un pare-feu soit actif.

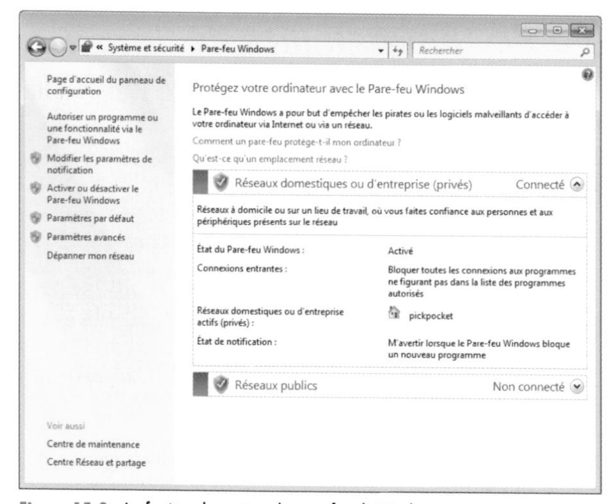

Figure 15.3 : La fenêtre de gestion du pare-feu de Windows.

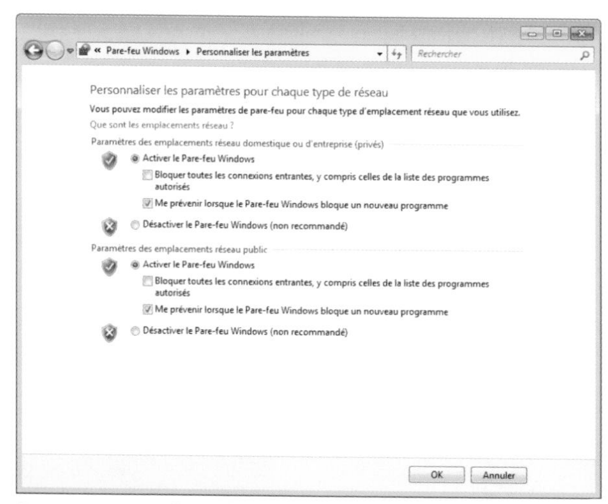

Figure 15.4 : Activez le pare-feu !

Permettre à des programmes de communiquer via le pare-feu

1. Cliquez sur Démarrer/Panneau de configuration/Système et sécurité/Autoriser un programme ou une fonctionnalité via le Pare-feu Windows.
2. Dans la fenêtre qui apparait (Figure 15.5), cochez la case des programmes que vous désirez laisser communiquer vers l'extérieur via votre pare-feu. Les cases Domestique/entreprise (privé) et Public, donnent les permissions en question.
3. Cliquez sur OK pour accepter les paramètres. Pour retirer un programme de la liste des applications autorisées, revenez dans cette boîte de dialogue. Sélectionnez-le et cliquez sur le bouton Supprimer.

Si vous souhaitez exclure certains réseaux du paramétrage de votre pare-feu, cliquez sur Démarrer/Panneau de configuration/Système et sécurité/Pare-feu Windows. Ensuite, apportez toutes les modifications nécessaires à n'importe quel réseau présent.

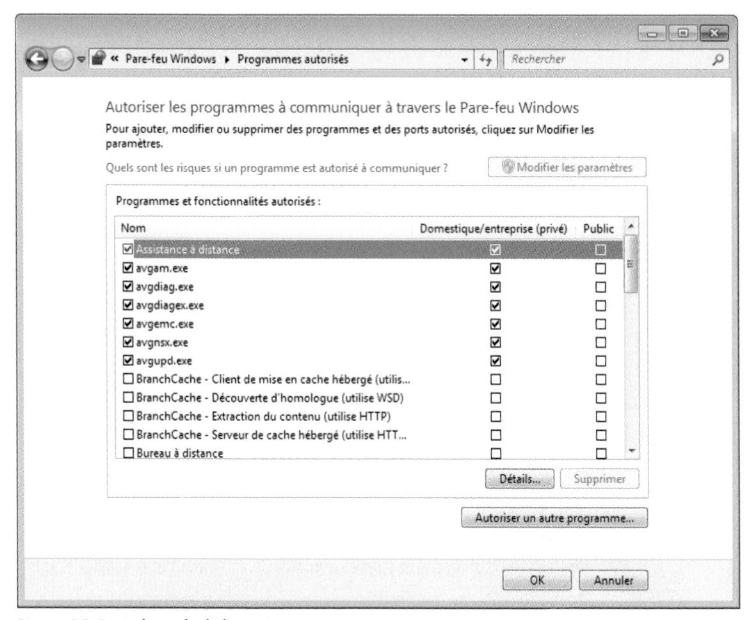

Figure 15.5 : La boîte de dialogue Programmes autorisés.

Vérifier l'état de la sécurité de votre ordinateur

1. Cliquez sur Démarrer/Panneau de configuration/Système et sécurité.
2. Dans la fenêtre qui s'affiche (Figure 15.6), cliquez sur le lien Vérifier l'état de votre ordinateur et résoudre les problèmes.
3. Dans la fenêtre Centre de maintenance (Figure 15.7), regardez les éléments de sécurité qui posent problème en cliquant sur le chevron de la section Sécurité. Recherchez la présence d'un antivirus.
4. Si Windows ne trouve pas un tel programme, cliquez sur le bouton de recherche en ligne. Des sociétés partenaires de Microsoft vous proposent des solutions. Cliquez sur le logo de la société dont vous désirez commander l'antivirus. Payé, téléchargez-le, et installez-le.

Il est important d'installer un antivirus et un antispyware que vous mettrez régulièrement à jour. Ces programmes vous empêchent de télécharger des malwares susceptibles d'ouvrir des fenêtres publicitaires intempestives, ou d'espionner tous vos faits et gestes. Des virus peuvent ralentir votre système et corrompre vos données. Vous pouvez investir dans des solutions de sécurité Internet comme AVG Internet Security (www.avgfrance.com), ou dans un programme spécialisé gratuit comme Spyware Terminator que vous trouverez à www.spywareterminator.com.

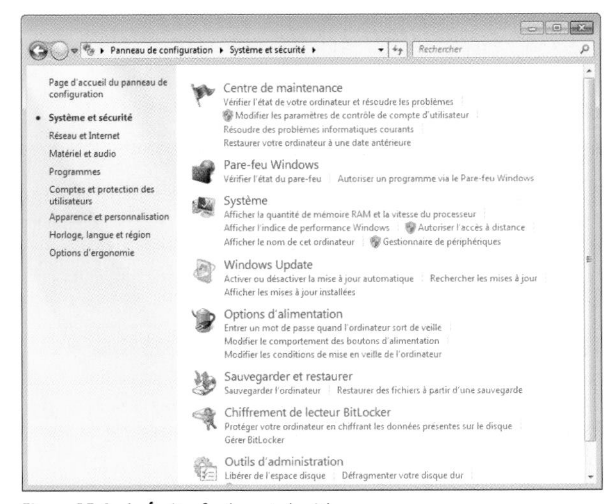

Figure 15.6 : La fenêtre Système et sécurité.

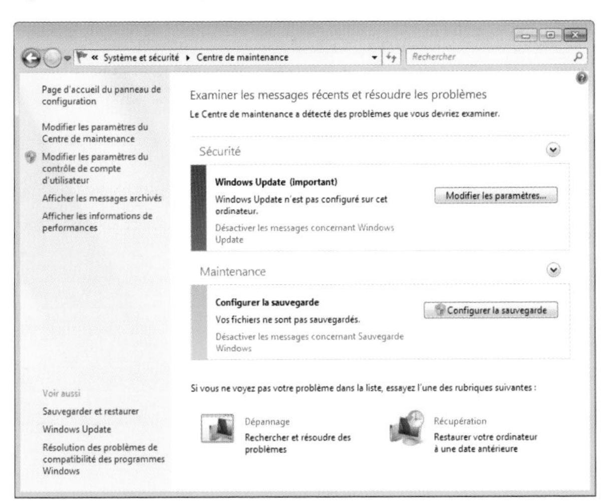

Figure 15.7 : La fenêtre Centre de maintenance.

Démarrer une analyse avec Windows Defender

1. Choisissez Démarrer/Panneau de configuration.
2. En haut de la fenêtre, cliquez sur la flèche située à droite de Panneau de configuration. Là, cliquez sur Tous les panneaux de configuration (Figure 15.8).
3. Faites défiler le contenu de la liste et cliquez sur Windows Defender.
4. Dans la fenêtre de Windows Defender, cliquez sur la liste Analyser et choisissez Analyse complète (Figure 15.9).

Exécutez régulièrement ce type d'analyse. Windows Defender est configuré pour analyser votre ordinateur une fois par jour.

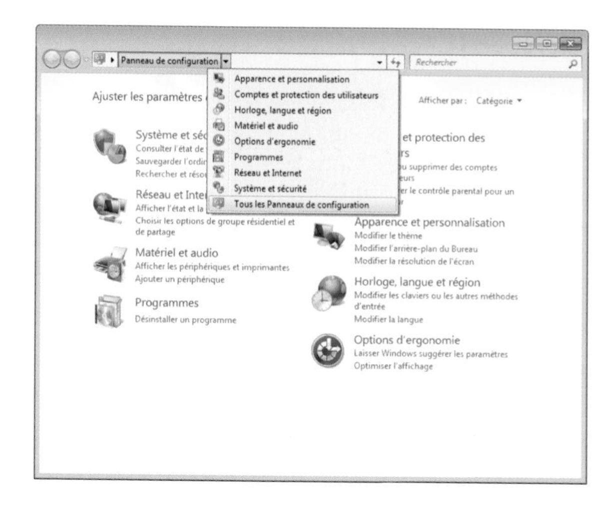

Figure 15.8 : Pour accéder à Windows Defender.

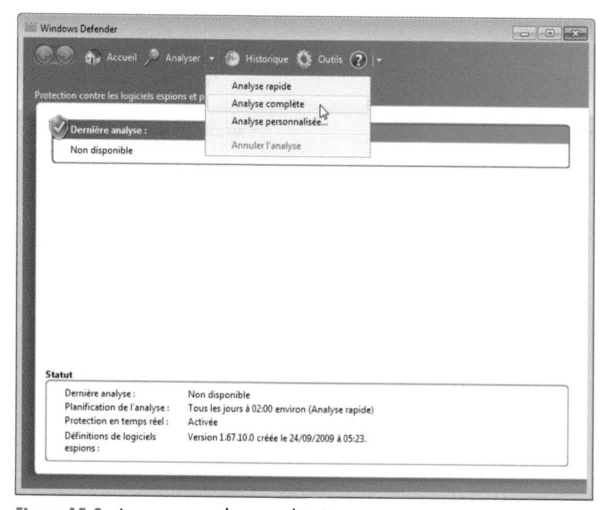

Figure 15.9 : Lancez une analyse complète ?

Démarrer Windows Update

1. Choisissez Démarrer/Tous les programmes/Windows Update.
2. Dans le volet de gauche de la fenêtre Windows Update, cliquez sur le lien Rechercher les mises à jour. Cette recherche peut durer une minute ou deux.
3. Dans la boîte de dialogue qui apparaît, cliquez sur le lien indiquant le nombre de mises à jour disponibles (Figure 15.10).
4. Dans la boîte de dialogue qui apparaît cochez les mises à jour qui vous intéressent, puis cliquez sur le bouton OK.
5. Revenu dans la fenêtre de Windows Update, cliquez sur le bouton Installer les mises à jour (Figure 15.11). Une barre de progression indique l'avancement des opérations. L'installation terminée, il vous sera peut-être demandé de redémarrer l'ordinateur. Cliquez sur Redémarrer maintenant.

Vous pouvez configurer Windows Update afin qu'il recherche quotidiennement les mises à jour. Dans le volet de gauche, cliquez sur Modifier les paramètres, puis choisissez la fréquence et l'heure de la recherche des mises à jour.

Exécutez régulièrement Windows Update. Vous serez alors certains que votre ordinateur bénéficie des dernières mises à jour de sécurité.

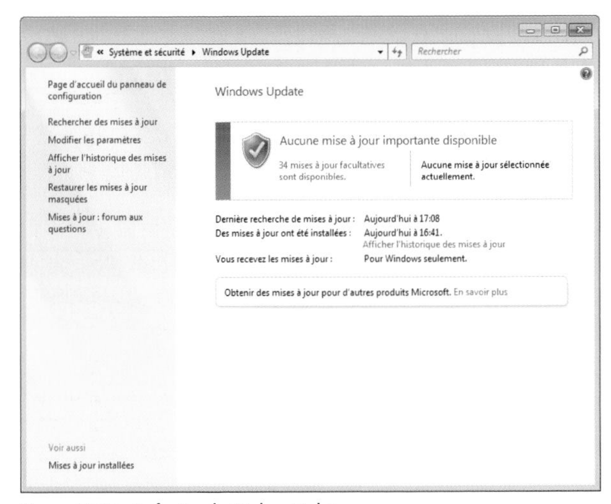

Figure 15.10 : La fenêtre de Windows Update.

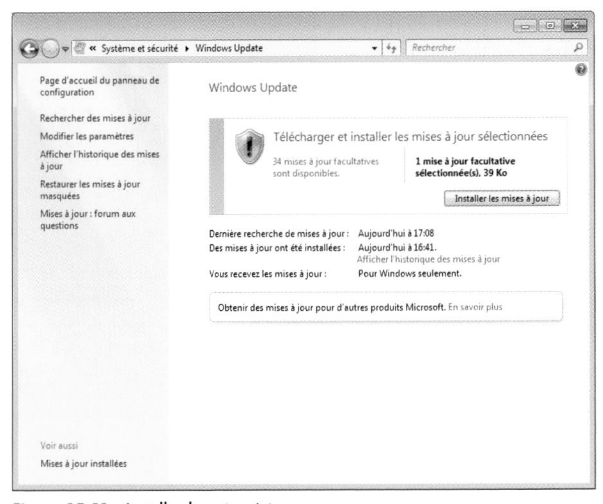

Figure 15.11 : Installez les mises à jour.

Chapitre 16

La maintenance de Windows

Ce chapitre est apparenté à l'entretien d'une voiture. Même s'il ne s'agit pas de faire la vidange ou de changer les plaquettes de frein, les tâches décrites ici doivent être faites. Ce sont elles en effet qui garantissent le bon fonctionnement et la protection de l'ordinateur.

Windows 7 gère d'innombrables fichiers. Pour que l'ordinateur soit toujours au mieux de sa forme, vous devez organiser les dossiers logiquement, exécuter des tâches de maintenance, prévenir les désastres et savoir comment s'en remettre.

Les tâches décrites dans ce chapitre appartiennent à trois catégories :

- **La sauvegarde des fichiers :** c'est une bonne habitude à prendre, car elle met les fichiers à l'abri d'un crash du disque dur. Gravez vos données sur des CD ou des DVD.
- **La maintenance de base :** pour que l'ordinateur fonctionne au mieux, vous devez de temps en temps *défragmenter* le disque dur (en fait, reconstituer des fragments de fichiers épars qui obligent la tête de lecture à d'amples parcours pour les lire en continu) ou libérer de la place sur le disque dur.
- **Faire le ménage :** supprimez les cookies et les fichiers temporaires afin qu'ils n'encombrent plus le disque dur. Vous pouvez aussi planifier des tâches de maintenance afin de ne plus avoir à y penser régulièrement.

Sauvegarder ses fichiers sur des CD ou DVD réinscriptibles

1. Insérez un CD-RW ou un DVD-RW (*ReWritable*, réinscriptible) dans votre graveur, puis choisissez Démarrer/Documents.
2. Dans la fenêtre Documents, sélectionnez tous les fichiers à graver sur le disque.
3. Cliquez du bouton droit dans la sélection et choisissez Envoyer vers/*Nom du lecteur de CD/DVD*, comme le montre la Figure 16.1.
4. Dans la boîte de dialogue Graver un disque, nommez le CD dans le champ Titre du disque, puis cliquez sur Suivant.
5. Dans la fenêtre qui apparaît, cliquez sur le bouton Graver sur disque. La gravure terminée, cliquez sur le bouton Fermer.

Pour graver la totalité d'un dossier, comme le dossier Documents, cliquez sur le dossier en question, à l'Étape 2.

Vous pouvez sauvegarder vers un réseau ou vers un autre disque en cliquant sur le lien Sauvegarder votre ordinateur, dans le Panneau de configuration. Vous pouvez dans ce cas configurer des sauvegardes à intervalles réguliers. De plus, seuls les fichiers modifiés sont sauvegardés.

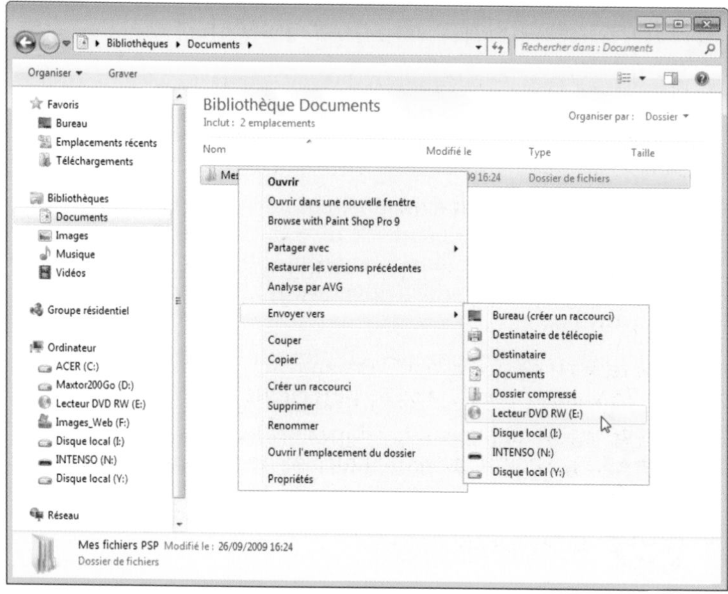

Figure 16.1 : Sauvegardez un dossier sur un CD ou un DVD.

Défragmenter un disque dur

1. Choisissez Démarrer/Panneau de configuration/Système et maintenance, puis, à la rubrique Outils d'administration, cliquez sur Défragmenter votre disque dur.
2. En bas de la fenêtre Défragmentation du disque (Figure 16.2), une note indique si la défragmentation est nécessaire. Si c'est le cas, cliquez sur Défragmenter le disque. Une première analyse commence, puis la colonne Progression (Figure 16.3) permet de suivre l'évolution de la défragmentation. L'opération peut durer plusieurs heures.
3. La défragmentation terminée, cliquez sur Fermer.

Une défragmentation peut durer longtemps. Si une fonction d'économie d'énergie est active, elle peut interrompre le processus de défragmentation qui recommence ensuite, et cela sans fin. Essayez de lancer la défragmentation de nuit, lorsque l'ordinateur n'est pas utilisé. Vous pouvez aussi prédéfinir le moment de la défragmentation, tous les quinze jours par exemple. Pour ce faire, cliquez sur le bouton Configurer la défragmentation.

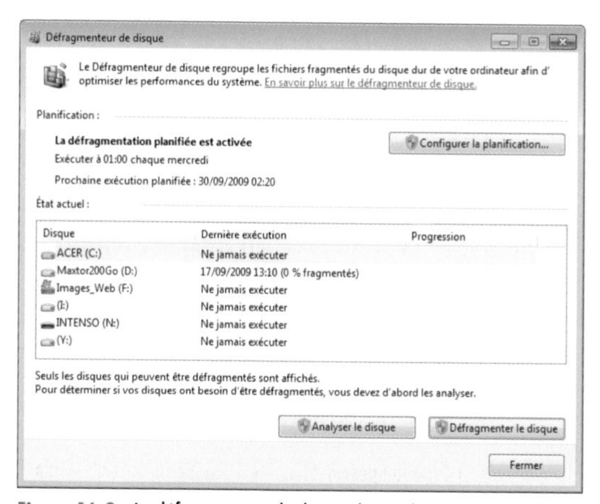

Figure 16.2 : Le défragmenteur de disque de Windows 7.

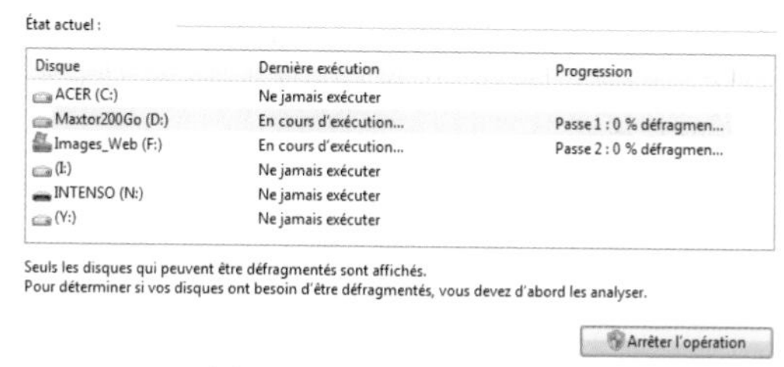

Figure 16.3 : La défragmentation est en cours.

Libérer de l'espace sur le disque dur

1. Choisissez Démarrer/Panneau de configuration/Système et maintenance, puis, sous la rubrique Outils d'administration, cliquez sur Libérer de l'espace disque.
2. Dans la boîte de dialogue qui s'affiche, sélectionnez un disque dur à nettoyer, et cliquez sur OK. L'analyse du disque démarre comme le montre la Figure 16.4.
3. La boîte de dialogue Nettoyage de disque (Figure 16.5) indique l'espace susceptible d'être gagné en procédant au nettoyage des fichiers. Ceux qui peuvent être supprimés d'office sont d'ores et déjà cochés. Cochez les éléments supplémentaires à nettoyer, comme la Corbeille.
4. Une fois que vous avez choisi les éléments à supprimer, cliquez sur OK. La suppression demandée commence.

Cliquez sur le bouton Afficher les fichiers, dans la boîte de dialogue Nettoyage de disque, pour en savoir plus sur les fichiers que Windows se propose de supprimer, notamment leur taille et dernière date d'accès.

Si vous ne parvenez pas à libérer autant de place que vous le désirez, vous devrez peut-être vérifier le disque à la recherche de secteurs défectueux ou le remplacer par un disque dur de plus grande capacité.

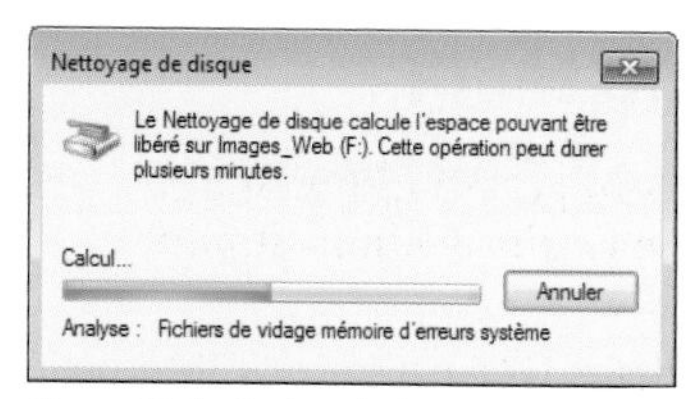

Figure 16.4 : Analyse du disque avant nettoyage.

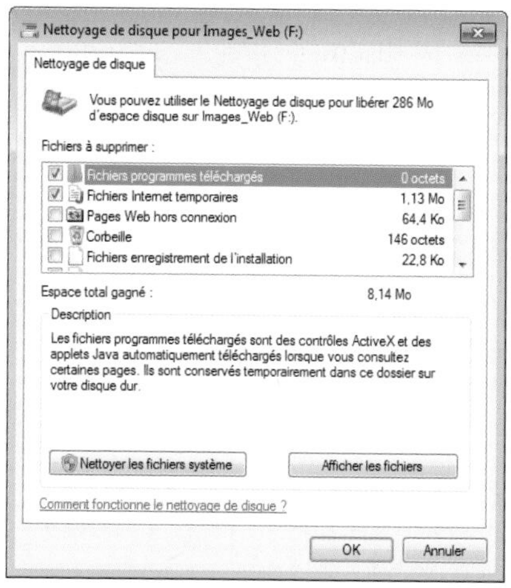

Figure 16.5 : Sélectionnez les éléments à nettoyer.

Supprimer les fichiers Internet temporaires avec Internet Explorer

1. Ouvrez Internet Explorer.
2. Appuyez sur la touche Alt et choisissez Outils/Options Internet.
3. Sous l'onglet Général de la boîte de dialogue Options Internet (Figure 16.6), à la rubrique Historique de navigation, cliquez sur le bouton Supprimer.
4. Dans la boîte de dialogue Supprimer l'historique de navigation (Figure 16.7), cochez la case Fichiers Internet temporaires, et cliquez sur le bouton Supprimer.
5. Si un message demande de confirmer la suppression, cliquez sur Oui. Cliquez sur Fermer puis sur OK pour quitter les boîtes de dialogue.

Les fichiers Internet temporaires peuvent aussi être quittés lors du nettoyage du disque dur (expliqué précédemment dans ce chapitre).

Windows 7 dispose d'une fonction d'évaluation des performances. Dans le Panneau de configuration, cliquez sur Système et sécurité. Dans la section Système, cliquez sur le lien Afficher le score de base de l'index de performance Windows. Cliquez sur Réexécuter l'évaluation afin d'obtenir une évaluation actualisée des performances du processeur, de la mémoire, du disque dur, *etc.*

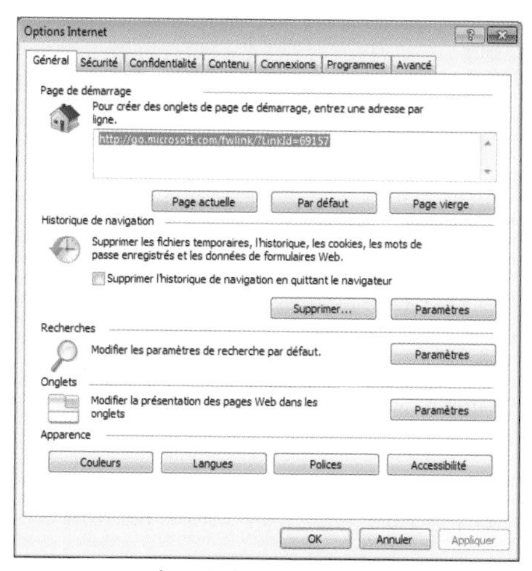

Figure 16.6 : La boîte de dialogue Options Internet.

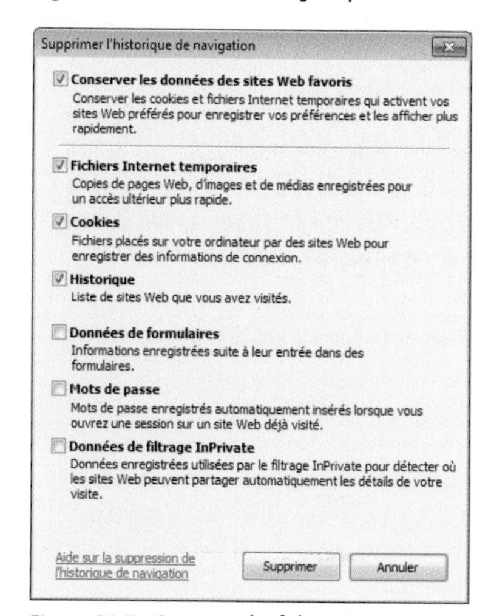

Figure 16.7 : Supprimez les fichiers Internet temporaires.

Planifier des tâches de maintenance

1. Choisissez Démarrer/Panneau de configuration/Système et sécurité puis, à la rubrique Outils d'administration, cliquez sur Tâches planifiées.
2. Dans la boîte de dialogue Tâches planifiées (Figure 16.8), choisissez Action/Créer une tâche.
3. Dans la boîte de dialogue Créer une tâche (Figure 16.9), nommez la tâche et décrivez-la. Choisissez si la tâche doit être exécutée uniquement si vous avez ouvert une session ou sans que personne en ait ouvert une.
4. Cliquez sur l'onglet Déclencheurs puis sur le bouton Nouveau. Dans la boîte de dialogue Nouveau déclencheur, déroulez le menu Lancer la tâche et choisissez une condition. Indiquez ensuite le jour et l'heure, puis cliquez sur OK.
5. Cliquez sur l'onglet Actions puis sur Nouveau. Choisissez ensuite l'action qui se produira : Démarrer un programme, Envoyer un courrier électronique ou Afficher un message. La boîte de dialogue qui apparaît diffère selon le choix.
6. Si vous désirez appliquer des conditions au déclenchement de la tâche, cliquez sur l'onglet Conditions et indiquez-les.
7. Dans la boîte de dialogue qui apparaît, sélectionnez une heure de début et de fin en cliquant sur les flèches de réglage, puis cliquez sur Suivant.
8. Cliquez sur l'onglet Paramètres et définissez les paramètres qui contrôlent la tâche.
9. Cliquez sur OK afin d'enregistrer la tâche.

Si vous désirez utiliser un Assistant pour créer une tâche, choisissez Actions/Créer une tâche de base. Il vous aidera à créer une tâche avec un minimum de paramètres.

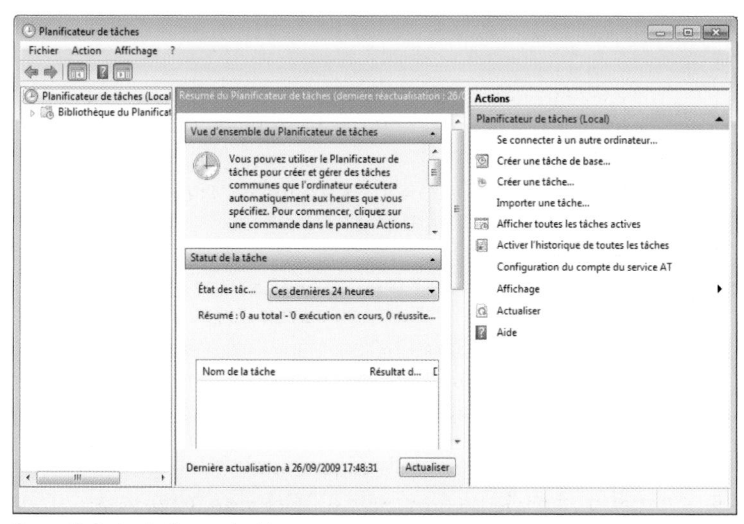

Figure 16.8 : Le planificateur de tâches.

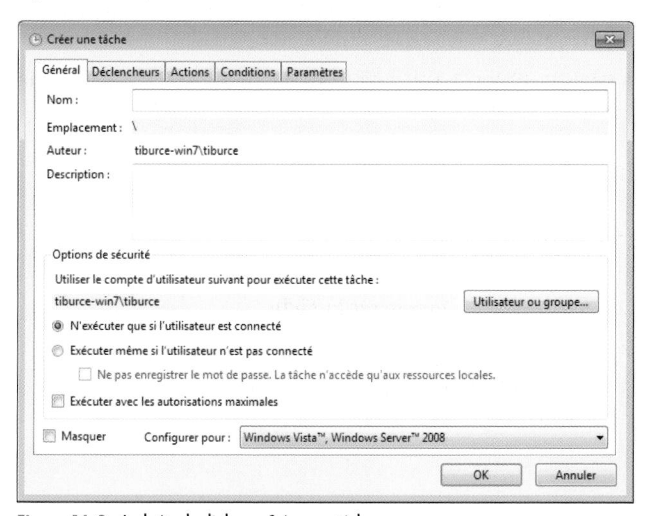

Figure 16.9 : La boîte de dialogue Créer une tâche.

Sixième partie

La résolution des problèmes courants

Chapitre

17

Dépanner le matériel

En principe, le matériel – c'est-à-dire tout ce qui se trouve dans le boîtier de l'ordinateur ou qui y est branché – ne devrait pas poser de problème. Il lui arrive cependant de faire des siennes. Windows peut parfois détecter la source du problème et proposer une solution.

Windows est doté de plusieurs fonctionnalités permettant de diagnostiquer et de dépanner le matériel :

- Un vérificateur de compatibilité permettant de savoir si votre modèle d'imprimante convient à Windows 7.
- Une fonction Nettoyage du disque capable de vérifier les secteurs d'un disque dur ou de rechercher et supprimer les fragments de fichiers inutiles, ce qui améliorera les performances et libérera de la place.
- Une fonction d'aide au dépannage du matériel, dans Aide et support Windows.
- La possibilité de procéder rapidement à la mise à jour des pilotes, ou revenir à une version antérieure si la nouvelle version est source de problèmes.

Vérifier l'état du disque dur

1. Choisissez Démarrer/Ordinateur.
2. Cliquez du bouton droit sur le disque dur à vérifier, puis choisissez Propriétés.
3. Dans la boîte de dialogue des propriétés, cliquez sur l'onglet Outils, puis sur le bouton Vérifier maintenant (Figure 17.1).
4. Dans la boîte de dialogue Vérifier le disque (Figure 17.2), cochez les options à appliquer :
   - **Réparer automatiquement les erreurs de système de fichiers** : tous les fichiers doivent être fermés pour que cette option soit applicable.
   - **Rechercher et tenter une récupération des secteurs défectueux** : si vous sélectionnez cette option, qui tente de réparer le disque, il est inutile de cocher la première.
5. Cliquez sur Démarrer.

Si des secteurs défectueux ne peuvent pas être récupérés, ils seront marqués, ce qui empêchera l'ordinateur de les utiliser.

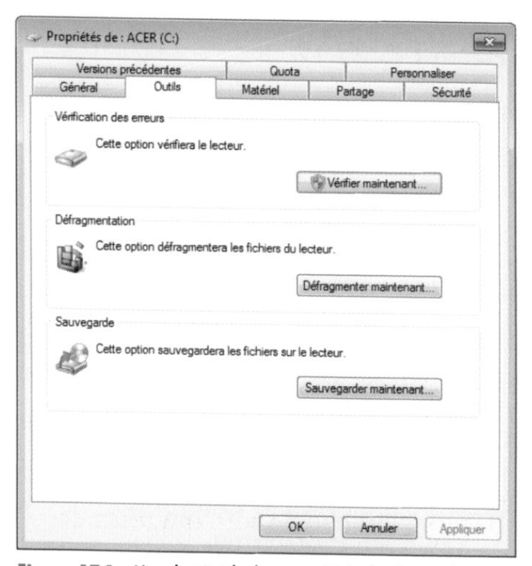

Figure 17.1 : L'onglet Outils des propriétés du disque dur.

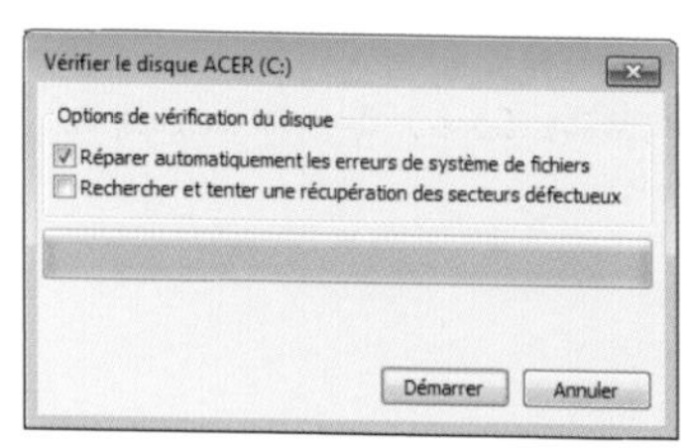

Figure 17.2 : Démarrez la vérification du disque dur.

Le dépanneur de matériel

1. Choisissez Démarrer/Panneau de configuration.
2. En haut de la fenêtre, cliquez sur la flèche située à droite de Panneau de configuration, puis sur Tous les Panneaux de configuration.
3. Faites défiler le contenu de la fenêtre et cliquez sur le lien Résolution des problèmes (Figure 17.3).
4. Cliquez sur l'élément pour lequel vous avez besoin d'une aide. Par exemple, si aucun son ne sort de vos haut-parleurs, cliquez sur la rubrique Matériel et audio. Dans la fenêtre qui apparaît, cliquez sur Lire un fichier audio (Figure 17.4). Suivez les instructions que s'affichent à l'écran.
5. Après avoir résolu le problème, cliquez sur le bouton Fermer. L'utilitaire de résolution des problèmes se ferme.

Vous trouverez aussi de l'aide en cliquant sur Démarrer/Aide et support. Dans le champ Rechercher dans l'Aide, tapez l'objet de votre recherche, comme Imprimante, et validez en appuyant sur Entrée.

Si l'Assistant ne vous permet pas de corriger le problème, cliquez sur le bouton Explorer d'autres options qui s'affichent à la dernière étape.

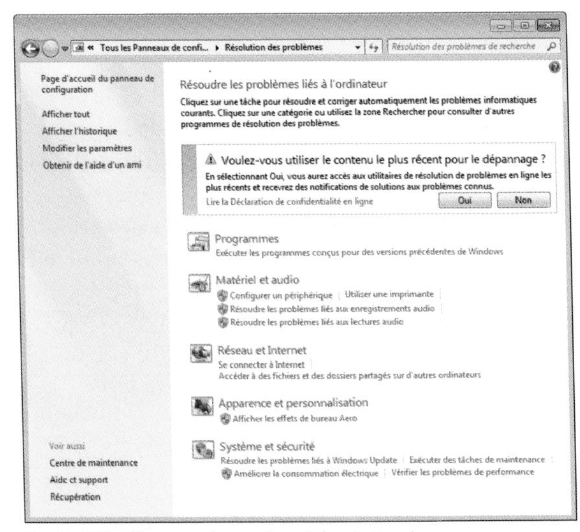

Figure 17.3 : Cliquez sur le type de problème à résoudre.

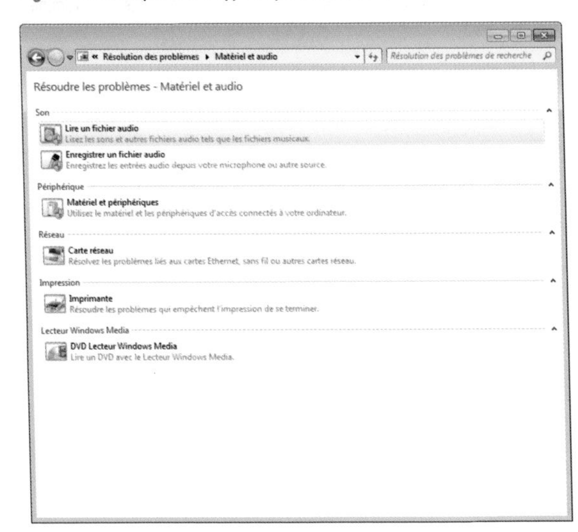

Figure 17.4 : Précisez le type de problème rencontré.

Mettre un pilote à jour

1. Vérifiez que vous êtes connecté à Internet, puis cliquez sur Démarrer/Panneau de configuration/Matériel et audio.
2. Dans la fenêtre qui apparaît, cliquez sur le lien Gestionnaire de périphérique.
3. Dans la boîte de dialogue Gestionnaire de périphériques (Figure 17.5), cliquez sur le triangle d'une catégorie de matériel. Ensuite, faites un clic droit sur un matériel. Dans le menu contextuel, choisissez Propriétés. Là, cliquez sur l'onglet Pilote (Figure 17.6).
4. Cliquez sur le bouton Mettre à jour le pilote. Dans la boîte de dialogue qui apparaît, cliquez sur Rechercher automatiquement un pilote mis à jour.

Vous devrez parfois redémarrer l'ordinateur afin que Windows puisse charger le nouveau pilote. Au redémarrage, le nouveau matériel est automatiquement détecté et installé grâce à la fonctionnalité *plug and play*.

Si le pilote est introuvable *via* Windows 7, visitez le site web du fabricant du matériel en question.

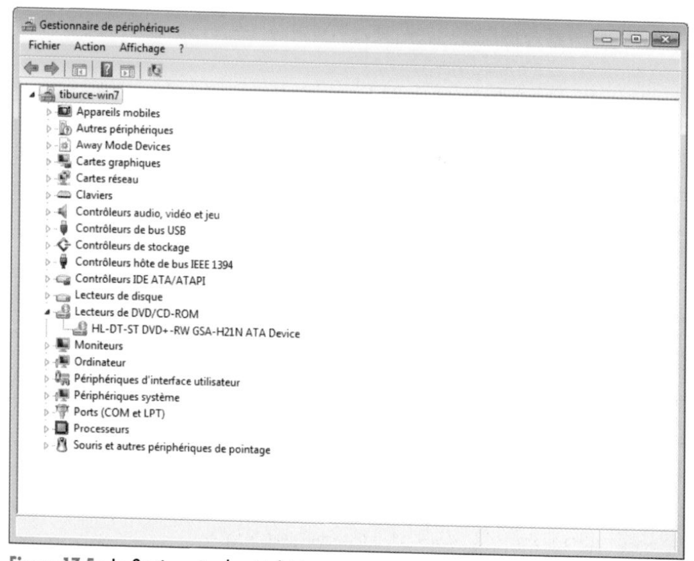

Figure 17.5 : Le Gestionnaire de périphérique.

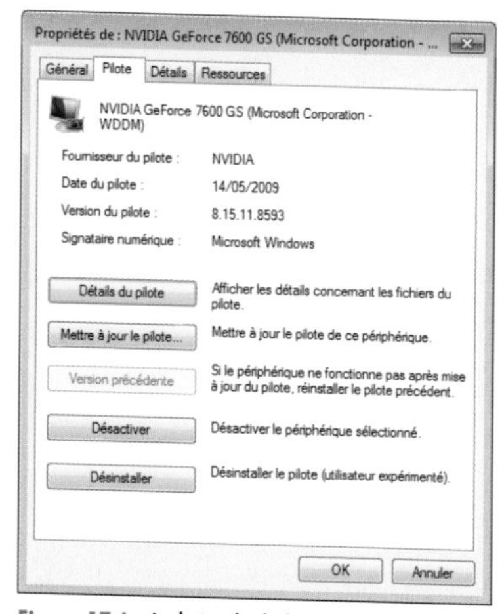

Figure 17.6 : La boîte de dialogue Propriétés de.

Rétablir l'ancienne version d'un pilote

1. Déconnectez le périphérique dont le pilote est à l'origine d'un problème.
2. Éteignez le périphérique.
3. Choisissez Démarrer/Panneau de configuration/Matériel et audio. Cliquez sur le lien Gestionnaire de périphériques.
4. Dans la fenêtre du Gestionnaire de périphériques, cliquez sur le signe en triangle d'une catégorie de matériel, cliquez du bouton droit sur le périphérique concerné, puis choisissez Propriétés.
5. Dans la boîte de dialogue des propriétés, cliquez sur l'onglet Pilote puis, comme à la Figure 17.7, sur le bouton Version précédente.

Si vous rencontrez de sérieux problèmes avec votre ordinateur, utilisez la fonction de restauration du système. Elle permet de récupérer un système d'exploitation qui était parfaitement opérationnel à une date précise. Consultez le Chapitres 18 pour en savoir plus à ce sujet.

Figure 17.7 : Restauration de l'ancienne version d'un pilote.

Chapitre 18

Résoudre les problèmes logiciels

Le beau matériel dont vous êtes si fier ne vous sera pas d'une grande utilité si le logiciel ne suit plus. Si un programme bloque le système, vous disposez heureusement de plusieurs moyens pour le neutraliser. Dans ce chapitre, vous apprendrez ce qu'il faut faire quand :

- Un programme se bloque. Il est facile de le fermer avec le Gestionnaire des tâches, qui donne accès à tous les programmes et processus en cours.
- Windows ne répond plus. Il est parfois utile de le redémarrer en mode Sans échec, qui ne charge que les fichiers et pilotes strictement indispensables. Un démarrage en mode Sans échec permet de corriger quelques problèmes, après quoi Windows redémarre comme d'habitude.
- L'ordinateur fonctionnait mieux avant l'installation d'un logiciel ou d'un pilote. Le retour à un point de restauration antérieur permet de retrouver l'ordinateur tel qu'il était avant.

Fermer une application qui ne répond plus

1. Appuyez sur Ctrl + Alt + Suppr (ou Ctrl + Alt + Del sur certains claviers). Une technique plus rapide consiste à appuyer sur Ctrl + Maj + Echap. Cela évite la deuxième étape de cette procédure.
2. Dans l'écran qui apparaît, cliquez sur Ouvrir le Gestionnaire des tâches.
3. Dans la fenêtre du Gestionnaire des tâches (Figure 18.1), sélectionnez l'application qui était en cours lorsque l'ordinateur s'est bloqué.
4. Cliquez sur le bouton Fin de tâche.
5. Si une boîte de dialogue indique que l'application ne répond plus et vous demande s'il faut la fermer. Cliquez sur Oui.

Si appuyer sur Ctrl + Alt + Suppr ne permet pas d'accéder au Gestionnaire des tâches, la situation est sérieuse. Maintenez le bouton Arrêt/Marche de l'ordinateur enfoncé pendant quelques secondes pour forcer ce dernier à s'éteindre. Notez que certains logiciels mémorisent une version de secours du document sur lequel vous étiez en train de travailler, ce qui laisse une petite chance de le récupérer. Sinon, si le logiciel est dépourvu de cette fonction, vous perdrez ce qui a été fait depuis le dernier enregistrement. Conclusion : enregistrez, enregistrez frénétiquement.

Une fenêtre demandera parfois s'il faut envoyer un rapport d'erreur à Microsoft. Si vous acceptez cette requête, des informations sont envoyées à Microsoft afin de les aider à corriger ce problème pour tous les utilisateurs de Windows 7.

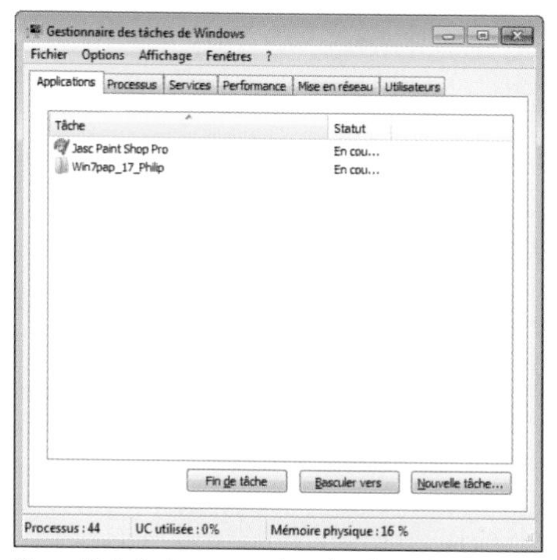

Figure 18.1 : Le Gestionnaire des tâches de Windows.

Démarrer Windows en mode Sans échec

1. Retirez tout CD ou DVD de l'ordinateur.
2. Choisissez Démarrer, cliquez sur la flèche à droite du cadenas et choisissez Redémarrer (voir Figure 18.2).
3. Lorsque l'ordinateur commence à redémarrer, enfoncez la touche F8.
4. Si plusieurs systèmes d'exploitation sont installés dans l'ordinateur, vous risquez de voir apparaître le menu Options avancées de Windows. Sélectionnez Windows 7 avec les touches fléchées Haut et Bas, ou tapez le numéro correspondant suivi d'Entrée. Continuez ensuite à appuyer sur F8.
5. Dans l'écran en mode texte, sélectionnez l'option Mode Sans échec.
6. Ouvrez une session Administrateur. L'écran du mode Sans échec apparaît (Figure 18.3). Utilisez les outils du Panneau de configuration ainsi que le système d'aide et de support pour déterminer le problème. Procédez aux modifications puis redémarrez l'ordinateur. Laissez Windows se charger comme d'habitude.

Quand vous appuyez sur F8, l'ordinateur démarre sous MS-DOS, un système d'exploitation dont les anciens se souviennent de l'austérité : rien que du texte, pas de souris... C'est à cette époque que fut lancée la série *Pour les Nuls*, car devant un écran aussi dépouillé, il y avait de quoi se sentir démuni.

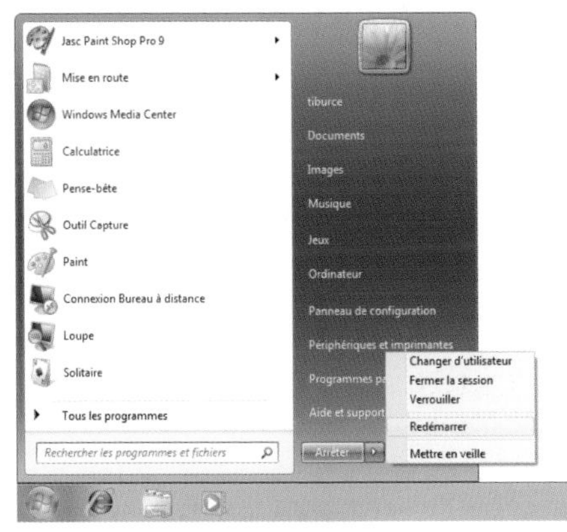

Figure 18.2 : Redémarrez l'ordinateur.

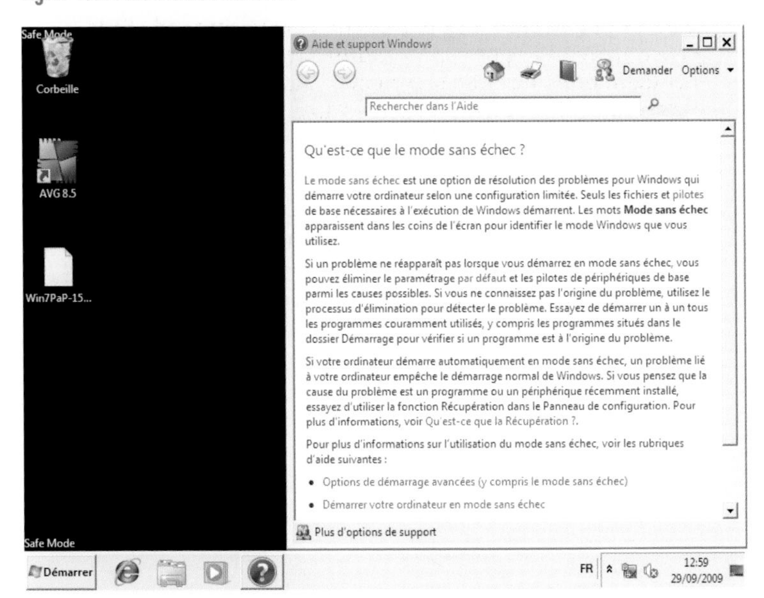

Figure 18.3 : Windows 7 en mode Sans échec.

Créer un point de restauration

1. Choisissez Démarrer/Panneau de configuration/Système et sécurité. Cliquez sur le lien Système.
2. Dans le volet de gauche de la fenêtre Système, cliquez sur le lien Protection du système. Dans la boîte de dialogue éponyme, cliquez sur le bouton Créer (Figure 18.4).
3. Dans la boîte de dialogue Créer un point de restauration, décrivez à quoi correspond ce point. Windows 7 ajoutera automatiquement la date. Ensuite, cliquez sur Créer.
4. Cliquez sur le bouton Créer. Windows 7 mémorise l'état actuel de l'ordinateur.
5. Windows montre la progression de la restauration. Un message vous informe que le point a été créé (Figure 18.5). Cliquez sur Fermer, puis de nouveau sur OK. Enfin, cliquez sur le bouton de fermeture du Panneau de configuration.

Créez un point de restauration avant toute installation de logiciel ou de matériel. Ainsi, en cas de dysfonctionnement, vous pourrez rétablir l'ordinateur tel qu'il était auparavant. En créer un chaque mois est aussi une bonne habitude, au même titre que les sauvegardes de fichiers.

Une solution plus radicale consiste à utiliser le disque de restauration du système sans doute fourni avec votre ordinateur. Mais il ne fait que rétablir Windows 7 tel qu'il était à la sortie d'usine, sans tenir compte des logiciels et équipements installés par la suite. D'où l'intérêt des points de restauration.

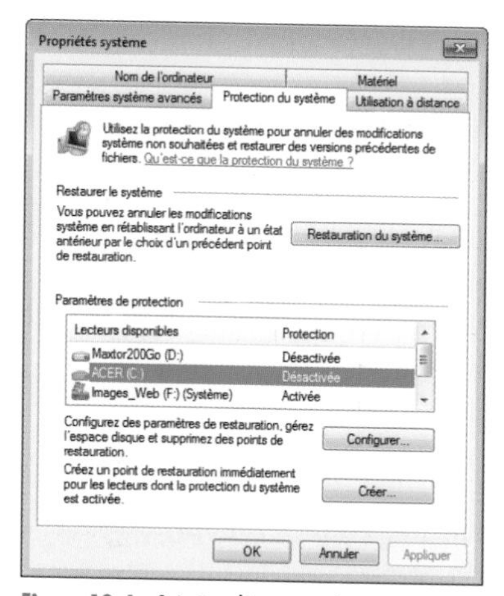

Figure 18.4 : Création d'un point de restauration.

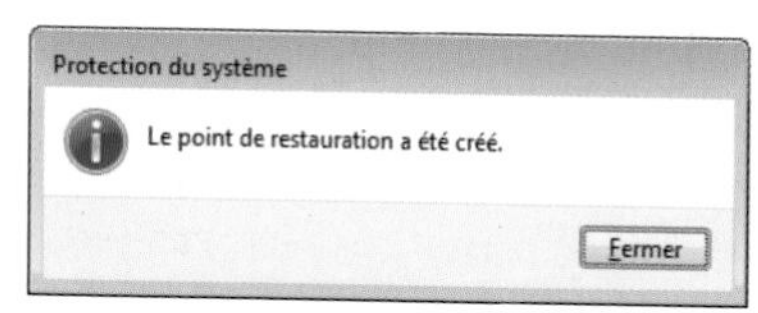

Figure 18.5 : Le point de restauration est créé.

Restaurer le système

1. Choisissez Démarrer/Panneau de configuration et, à la rubrique Système et sécurité, cliquez sur le lien Sauvegarder votre ordinateur.
2. Dans la section Sauvegarder ou restaurer des fichiers, cliquez sur le lien Restaurer les paramètres système de votre ordinateur. Dans la nouvelle boîte de dialogue, cliquez sur le bouton Ouvrir la restauration du système (Figure 18.6).
3. Dans la boîte de dialogue Restauration du système, cliquez sur Suivant.
4. Dans la boîte de dialogue qui apparaît, sélectionnez le point de sauvegarde à restaurer (18.7). Ensuite, cliquez sur Suivant.
5. À l'étape suivante, cliquez sur Terminer. Vous devrez redémarrer votre ordinateur une fois la restauration terminée.
6. L'ordinateur redémarre puis confirme que le point de restauration a été appliqué avec succès.
7. Cliquez sur OK pour fermer la boîte de dialogue.

La restauration du système n'affecte en rien les documents que vous avez enregistrés (vous ne perdrez pas votre précieuse thèse de doctorat presque terminée). Elle se contente de restaurer d'anciens paramètres de Windows. Si vous désirez connaître les changements qui vont être apportés à votre système, cliquez sur le lien Rechercher les programmes concernés (étape Confirmer le point de restauration).

La restauration du système ne résout pas tous les problèmes. Il vaut mieux avoir créé un jeu de disques de restauration juste après avoir acheté l'ordinateur. Si vous ne l'avez pas fait, contactez le fabricant ; il vous proposera sans doute un CD de restauration à un prix raisonnable. Ce disque remet l'ordinateur dans l'état où il était à sa sortie d'usine.

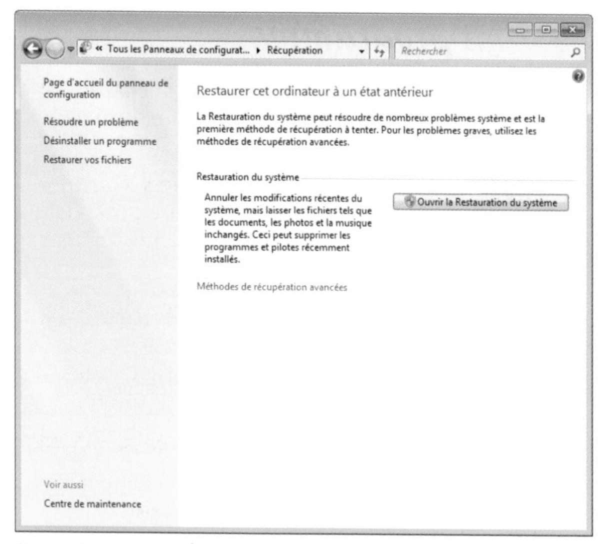

Figure 18.6 : Démarrez la restauration du système.

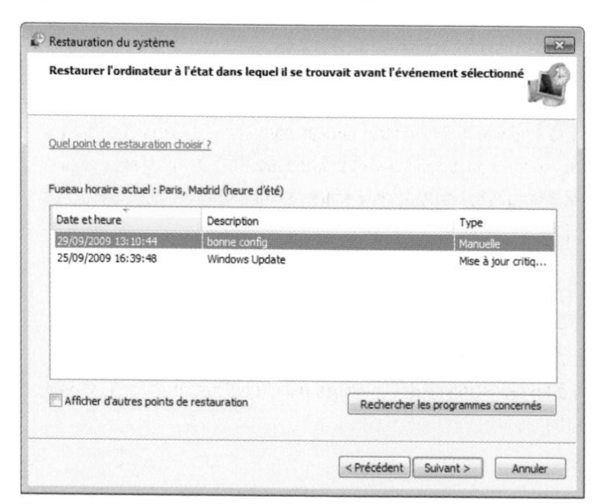

Figure 18.7 : Choisissez le point de restauration le plus récent.

Dépannage d'un programme

1. Cliquez sur Démarrer/Panneau de configuration. Dans la section Système et sécurité, cliquez sur Rechercher et résoudre les problèmes.
2. Dans la fenêtre Résolution des problèmes (Figure 18.8), cliquez sur Programmes.
3. Dans la nouvelle fenêtre (18.9), vous pouvez réparer les éléments suivants :
   - **Réseau** permet de dépanner une connexion Internet défaillante.
   - **Navigateur Web** détecte les problèmes rencontrés avec le navigateur Internet Explorer.
   - **Compatibilité des programmes** est un excellent choix si de vieux programmes ne fonctionnent pas correctement sous Windows 7. Les problèmes de compatibilité sont les principales sources de non-fonctionnement des programmes.
   - **Impression** permet de déceler les raisons d'un mauvais fonctionnement de votre imprimante. Le pilote d'impression utilisé est alors vérifié.
   - **Lecteur Windows Media** cherche les problèmes liés à la lecture des fichiers multimédias ou des DVD.
4. Suivez les instructions pour que Windows résolve votre problème.

Dans certains cas, vous devrez être connecté en tant qu'administrateur pour lancer l'analyseur de problèmes. Pensez alors à vous créer un compte d'administrateur comme cela est expliqué au Chapitres 14.

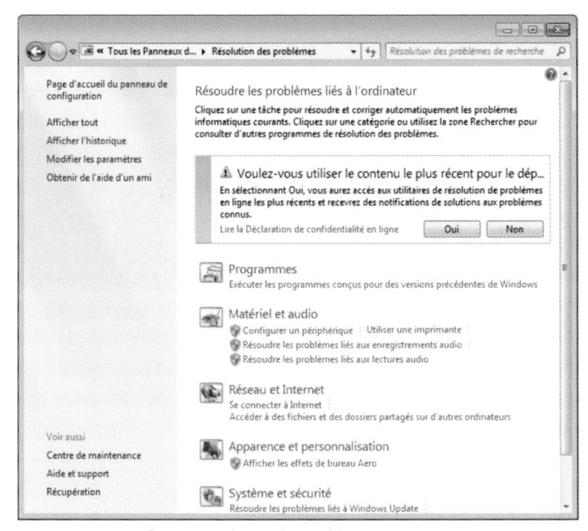

Figure 18.8 : La fenêtre résolution des problèmes.

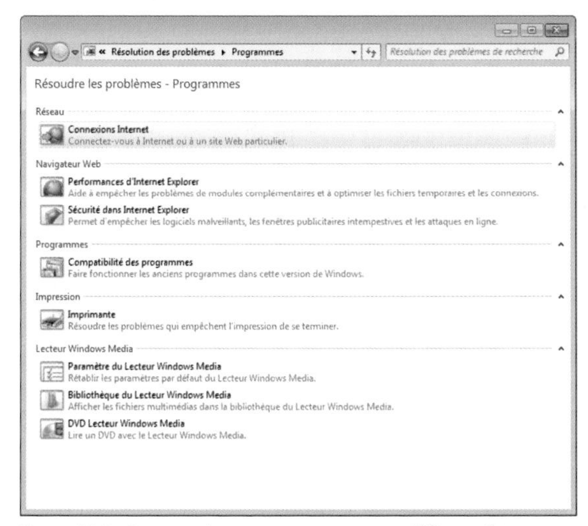

Figure 18.9 : Dans cette fenêtre, vous pouvez réparer différents éléments.

Index

Symboles

A

Administrateur 274
Adresse IP 109
Affichage
- luminosité 186
- optimiser 246
- paramètres 232

Alimentation 182
Application
- démarrer 26
- démarrer automatiquement 32
- désinstaller 38
- fermer 34
- ne répond plus 320

Arrière-plan 234
Attribut 272

B

Batteries
- autonomie 188
- état 188

Bourse 96
Bureau
- arrière-plan 234
- nettoyer 18
- personnalisation 232, 234, 236, 238, 240
- raccourci 18
- thème 236

C

Calculatrice 78
Calendrier 88
Capture 74
Carte graphique 208
Carte son 210
Centre de maintenance 288
Centre de mobilité Windows 186
Clavier 254
- touche rémanente 254
- visuel 256

Commutateur 218
Compte d'utilisateur 274
- changer 276

Confidentialité 144
Contact
- ajouter 174

Contrôle parental 278
Cookie 117, 282
Corbeille 20, 58
Couleurs de Vista 240
Courrier
- électronique 154

Cours de la Bourse 96
Créer
- utilisateur 8

Curseur 260

D

Date 14
Defender. Voir Windows
Défragmenter 298
Démarrage, dossier 32

Démarrer 10
application 32
Windows Vista 8
Déplacer des données 30
Désinstaller 38
Devise 92
Diaporama 86
Disque dur 212, 310
défragmenter 298
libérer de l'espace 300
Document
récemment utilisé 42
Dossier 41
compresser 60
de messages 176
déplacer 50
localiser 44, 46
partagé 270
Public 268
renommer 52
sélectionner 60
supprimer 58

E

Économiseur d'écran 238
Écran
de veille 238
résolution 232
Ergonomie 246
Éteindre l'ordinateur 22
Ethernet 218
Explorateur
Windows 46

F

FAI 103
Favori 126
organiser 128
Favoris
fichier 62
Fenêtre 28
Fichier 41
ajouter aux Favoris 62
attributs 272
compresser 60
déplacer 50
imprimer 56
Internet temporaire 302
localiser 44, 46
rechercher 48
renommer 52
sauvegarde 296
sélectionner 60
supprimer 58
télécharger 138
Flux RSS 94, 148
Forward. Voir message, transférer
Fuseau horaire 14

G

Gadget 14
actions 96
ajouter 82
calendrier 88
compteur processeur 98
devise 92
diaporama 86
horloge 84
puzzle graphique 90
Galerie de photos Windows
diaporama 86
Galerie de photos Windows Live 70
Gaucher 258
Gestion de l'alimentation

luminosité 186
Gestion des disques 212
Gestionnaire de périphériques 204
Gestionnaire des tâches 320
Graver 296
Groupe de travail 224

H

Heure 14
Historique 134
Historique de navigation 302
Horloge 84

I

Icône
  disposer 16
  réorganisation automatique 16
IE. Voir Internet Explorer
Imprimante 198
  par défaut 202
  partage 268
Imprimer 56
  page Web 150
Index de performance 302
InPrivate 140
Internet 103, 117. Voir aussi Web
  adresse IP 109
  cookies 282
  lien 118
  nouvelle connexion 104
  pare-feu 284
  partage de connexion 106
  réparer une connexion 110
  sécurité 144
  sites de confiance 282
  sites sensibles 282
  TCP/IP 108
Internet Explorer
  confidentialité 144
  Flux 148
  gestionnaire d'accès 146
  InPrivate 140
  onglets 132
  page de démarrage 124
  RSS 148
  SmartScreen 142
  téléchargement 138

L

Lancement rapide 12
Lien 118
Live Search 120

M

Mail 153
  contact 174
  dossiers de messages 176
  écrire un message 156
  envoyer un message 156
  lire un message 162
  mise en forme 170
  pièce jointe 160
  répondre 164
  signature 168
  thème 172
  transférer 166
  volet de lecture 176
Maintenance 304
Menu
  Démarrer 10
Message 156
  classer 178
  dossier 176
Météo 81

Mise à jour 292
Mode Sans échec 322
Moniteur 206
Mot de passe 266

N

Navigateur Web 117
Naviguer sur le Web 118
Nom
 d'ordinateur 222

O

Onglet 132
Options d'alimentation 182, 184
Outil Capture 74

P

Page de démarrage 124
Paint 68
Pare-feu 284
Partage 268
 options 226
Partager une connexion Internet 106
Pense-bête 76
Performances 302
Périphérique 204
 carte graphique 208
 carte son 210
 imprimante 198
 moniteur 206
 USB 204
Photo 68
 Galerie de photos Windows Live 70
Pièce jointe 160
Pilote
 ancienne version 316
 mise à jour 314
Plan d'alimentation 182
 personnaliser 184
Planifier
 défragmentation 298
 maintenance 304
Point de restauration 324
Présentation 192
Programme
 dépanner 328
 par défaut 36
Public, dossier 268
Puzzle 90

R

Raccourci 54
 bureau 18
RAM 98
Rechercher 48
 sur le Web 120
Reconnaissance vocale 250
Renommer 52
Réparer une connexion 110
Répartiteur 218
Réseau 104, 106, 108, 110, 114
 carte 216
 commutateur 218
 Ethernet 218
 options de partage 226
 préféré 108
 répartiteur 218
 sans fil 186, 220
Résolution 232
Restauration 326
RSS 94, 148

S

Sans échec 322
Sauvegarde 296
Sécurité 144, 281
  centre de maintenance 288
  état 288
Sélectionner 60
Session 8
Signature 168
Signaux visuels 248
site Web. Voir aussi page Web
SmartScreen 142
Son 248
  reconnaissance vocale 250
Souris 254, 258
  curseur 260
  gaucher 258
  pointeur 260
Spam. Voir Courrier indésirable
SSID 108
Suggestion de sites 130

T

TCP/IP 108
Télécharger 138
Télécopie 190
Texte
  taille 242
Thème 172, 236
Touche rémanente 254
Tous les programmes 10

U

USB 204
Utilisateur 274
  changer 276
  créer 8

V

Veille 10
  prolongée 10
Vidéoprojecteur 190

W

Web. Voir aussi Internet
Windows Defender
  analyse 290
Windows Explorer 10
Windows Update 292
WordPad 66

Z

Zone de texte. Voir Texte